AVANÇAR em PORTUGUÊS

Lidel – edições técnicas, lda

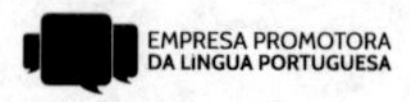

A **Lidel** adquiriu este estatuto através da assinatura de um protocolo com o **Camões – Instituto da Cooperação e da Língua**, que visa destacar um conjunto de entidades que contribuem para a promoção internacional da língua portuguesa.

Edição e Distribuição
Lidel – Edições Técnicas, Lda.
Rua D. Estefânia, 183, r/c Dto. – 1049-057 Lisboa
Tel: +351 213 511 448
lidel@lidel.pt
Projetos de edição: editoriais@lidel.pt
www.lidel.pt

Livraria
Av. Praia da Vitória, 14 A – 1000-247 Lisboa
Tel: +351 213 511 448
livraria@lidel.pt

Copyright © 2012, Lidel – Edições Técnicas, Lda.
ISBN edição impressa: 978-989-752-368-7
2.ª edição com áudio *online*: junho 2018
Reimpressão de novembro 2020

Conceção de *layout* e paginação: DPI Cromotipo
Impressão e Acabamento: DPS - Digital Printing Services, Lda. – Agualva - Cacém
Dep. Legal: 442287/18

Capa: José Manuel Reis
Imagens: http://www.istockphoto.com

Faixas áudio
Vozes: Ana Vieira, José Alves e Paulo Espírito Santo
Execução Técnica: Audio In - Produção de Áudio, Lda.
(P) & (C) 2012 – Lidel
(L) SPA
Todos os direitos reservados

Todos os nossos livros passam por um rigoroso controlo de qualidade, no entanto, aconselhamos a consulta periódica do nosso *site* (www.lidel.pt) para fazer o *download* de eventuais correções.

Não nos responsabilizamos por desatualizações das hiperligações presentes nesta obra, que foram verificadas à data de publicação da mesma.

Os nomes comerciais referenciados neste livro têm patente registada.

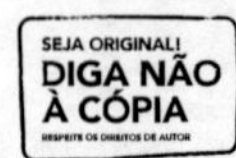

Reservados todos os direitos. Esta publicação não pode ser reproduzida, nem transmitida, no todo ou em parte, por qualquer processo eletrónico, mecânico, fotocópia, digitalização, gravação, sistema de armazenamento e disponibilização de informação, sítio *Web*, blogue ou outros, sem prévia autorização escrita da Editora, exceto o permitido pelo CDADC, em termos de cópia privada pela AGECOP – Associação para a Gestão da Cópia Privada, através do pagamento das respetivas taxas.

PREFÁCIO

Os desafios da quase perene mobilidade trouxeram novos contextos socioculturais, novas situações de comunicação que se abrem em novos temas que têm de acompanhar muito rapidamente as mudanças constantes neste nosso mundo tão diferente, mas tão global. Surgem também públicos com necessidades e motivações muito diferentes das de há dez, cinco ou até dois anos atrás.

Aprender uma língua é, antes de tudo, apreender a vida em que se faz essa língua. É necessário aprender a descodificá-la nos contextos naturais em que surge, tendo acesso a todo o tipo de registos linguísticos, como se houvesse uma interação direta e frequente com os falantes da língua-alvo e meios de comunicação em português.

Avançar em Português de Ana Tavares e Marina Tavares traduz essa dinâmica de língua, participando na socialização e transmissão de diferentes saberes, designadamente linguísticos, socioculturais e outros, necessários ao desenvolvimento duma competência em língua de nível B2 (do *Quadro Europeu Comum de Referência para as Línguas)* dum público aprendente jovem ou adulto.

A função do ***Avançar em Português*** faz jus ao seu título, pois ultrapassa largamente o que seria o objetivo dum manual de português língua estrangeira, revelando também o saber e a larga experiência pedagógica das autoras.

As diferentes atividades que propõe traduzem um saber-fazer da utilização da língua em situação de comunicação, dificilmente concretizado nos manuais de PLE.

Tudo isso é possível graças à riqueza pluridiscursiva dos textos autênticos selecionados, da riqueza dos temas e do apelo a uma apropriação dinâmica dos significados dos textos.

Educar em línguas é educar para a vida. O aprendente é um ator social que não só aprende a língua, mas que age como cidadão e como pessoa, modificando os seus saberes e as suas formas de agir pela convivência com os diversos textos que o influenciam, sejam eles simples conversas ou textos do manual de PLE de autores ausentes.

Avançar em Português é vivo, atual, necessário e traduz de forma inovadora o que é aprender uma língua no jovem século XXI.

Maria José Grosso

ÍNDICE

<table>
<tr><th>A
Textos, Contextos e Pretextos</th><th>B
Gramática e Vocabulário</th><th>C
Ortografia
e Pronúncia</th></tr>
<tr><td>• Identificação
• Países de língua oficial portuguesa
• Como nos vemos e como nos veem os outros
• Figuras e imagens / símbolos dos portugueses</td><td>• Tempos e modos verbais
• Verbos com preposições
• Texto lacunar – vocabulário
• Substantivo/adjetivo
• Expressões lexicalizadas (ex: dar-se ao trabalho, mudar de vida)</td><td>• u / o</td></tr>
<tr><td>• Tempo livre e qualidade de vida
• Fugir à rotina
• Férias</td><td>• Expressões com a palavra "tempo"
• Família de palavras
• Antónimos
• Pretérito Mais-que-Perfeito do Conjuntivo (simples e composto)
• Expressão da condição</td><td>• s / z</td></tr>
<tr><td>• Alimentação saudável
• Estar em forma
• Ser otimista</td><td>• Pretérito Perfeito composto do Conjuntivo vs Presente do Conjuntivo
• Ser/Estar
• Texto lacunar – vocabulário
• Palavras homófonas
• Preposições
• Verbo/substantivo</td><td>• r / rr
• s / ss
• ç / c</td></tr>
<tr><td>• Catástrofes naturais
• Pegada ecológica
• Preservação ambiental</td><td>• Expressões lexicalizadas com a palavra ar
• Texto lacunar – vocabulário
• Preposições
• Infinitivo Pessoal (simples e composto)</td><td>• x / ch</td></tr>
<tr><td>• Globalização vs direito à diferença
• Hábitos de consumo
• Direitos do consumidor</td><td>• Tempos e modos verbais
• Voz passiva
• Plural de palavras compostas
• Antónimos
• Substantivo/adjetivo
• Texto lacunar – vocabulário
• Palavras homónimas
• Expressões lexicalizadas (ex: dar nas vistas, fazer de conta)</td><td>• x / z / s</td></tr>
</table>

ÍNDICE

A Textos, Contextos e Pretextos	B Gramática e Vocabulário	C Ortografia e Pronúncia
• Política no séc. XXI • Voluntariado • Evolução tecnológica • Utopias	• Antónimos com prefixo • Pronomes relativos variáveis • Conjunções e locuções conjuncionais • Perifrásticas (*deixar de, passar a, continuar a*) • Verbos com preposição (*dar, ficar, passar*)	• g / j
• Evolução dos meios de comunicação • O mundo num instante • Papel *vs* digital • Hábitos de leitura	• Expressões lexicalizadas com a palavra *perna* • *para* e *por* • Tempos e modos verbais • Futuro Perfeito e Futuro Imperfeito do Indicativo	• i / e
• Viver na rede • A importância do telemóvel • *Seniornautas*	• Futuro Perfeito do Conjuntivo • Expressão do Futuro (Indicativo e Conjuntivo) • Substantivo/verbo • Texto lacunar – vocabulário • Expressões lexicalizadas (ex: *ter jeito, marcar presença*) • Preposições • Palavras parónimas	• acentuação
• Geração *Erasmus* • Aprender línguas • Diversidade linguística • Trabalhador-estudante	• Expressões lexicalizadas com o verbo *fazer* • Preposições e locuções prepositivas • Construções concessivas, finais e causais • Formação de palavras (sufixação)	• c / qu
• Profissões • Mudança de vida • Anúncios e entrevistas	• Gerúndio (simples e composto) • Tempos e modos verbais • Estrangeirismos • Texto lacunar – vocabulário • Vocabulário do mundo laboral	• x

INTRODUÇÃO

Avançar em Português corresponde ao nível B2 do *Quadro Europeu Comum de Referência para as Línguas* e destina-se a alunos jovens e adultos que pretendam aprofundar os seus conhecimentos na língua portuguesa, ampliando o léxico e o domínio de certos usos e construções gramaticais e discursivas de maior complexidade.

Este manual é composto por dez unidades que abordam temas diversificados e atuais que funcionam como ponto de partida para a leitura e compreensão de uma variedade de textos autênticos e o desenvolvimento da expressão oral (produção contínua e interação). Com o objetivo de propor atividades variadas que visam o desenvolvimento equilibrado da competência comunicativa nas diversas componentes que a integram, as unidades de trabalho subdividem-se em cinco secções:

A. Textos, Contextos e Pretextos;
B. Gramática e Vocabulário;
C. Ortografia e Pronúncia;
D. Produção Escrita;
E. Tarefa.

De forma a otimizar o exercício da competência comunicativa de forma integrada, os alunos são, no final de cada unidade, desafiados a realizar uma tarefa potencialmente motivadora e significativa, individual ou em grupo, relacionada com o tema trabalhado, mobilizando para tal fim os conhecimentos adquiridos e recorrendo à pesquisa.

Os ficheiros áudio com as gravações dos diálogos, entrevistas ou testemunhos que vão ser alvo de compreensão oral, e com os exercícios de ortografia e pronúncia estão disponíveis em www.lidel.pt. No final do manual, encontram-se as soluções dos exercícios das secções Gramática e Vocabulário e Ortografia e Pronúncia, permitindo um trabalho individual mais autónomo.

Optou-se por não apresentar as soluções dos restantes exercícios que surgem ao longo das unidades temáticas, uma vez que estes se inserem num trabalho a ser desenvolvido em sala de aula e dirigido pelo professor.

Avançar em Português propõe uma abordagem comunicativa e estimula a interação e a partilha de saberes e de experiências.

Ana Tavares
Marina Tavares

CONHECER-SE MELHOR

SER PORTUGUÊS

A LÍNGUA PORTUGUESA NO MUNDO

UNIDADE 1

1. Vamos conhecer-nos?

1. Antes de ler, ouça as apresentações destas três pessoas e, em seguida, faça uma pergunta ao colega do lado sobre cada uma delas.

Sou a Maria. Sou espanhola, de Valência. Sou enfermeira e estudo português há um ano numa escola de línguas da minha cidade. Gosto muito de Portugal. Tenho lá muitos amigos e gostava de trabalhar durante algum tempo num hospital ou num centro de saúde naquele país. No meu tempo livre gosto de ir ao cinema, ler livros de ficção e adoro ouvir música. Não sou uma pessoa muito desportiva, mas tento ir nadar uma ou duas vezes por semana. Não viajo muito, mas a minha viagem preferida foi no ano passado, em Portugal. Passei lá duas semanas de férias fantásticas. Também gostava de ir ao Brasil, mas não sei quando irei. O português não é uma língua fácil. Para mim, os "falsos amigos" são um problema.

Chamo-me Hiroshi Tanaka e sou japonês, de Osaka. Sou engenheiro eletrotécnico e trabalho numa empresa japonesa perto de Lisboa há um ano e meio. Falo inglês bastante bem e já estudo português há dois anos, mas ainda não falo bem. O português é uma língua difícil para os japoneses, pois tudo é diferente e novo. Compreendo bem a gramática, mas o mais complicado, para mim, é falar. Os japoneses gostam muito de viajar, por isso, aproveito a oportunidade de estar a trabalhar em Portugal para viajar pelo país e pela Europa. Nos meus tempos livres gosto de ver filmes, jogar *Playstation* e computador e vou ao ginásio duas vezes por semana. Como os portugueses gostam muito de futebol, às vezes, vou assistir a um jogo com um colega.

Sou o Karl e sou de Munique, na Alemanha. Sou economista e trabalho num banco em Frankfurt. Estudo português há seis meses, porque a minha namorada é portuguesa e os pais dela não falam alemão, nem inglês. Tenho aulas em Frankfurt duas vezes por semana e, em julho, fiz um curso intensivo de um mês, no Porto, mas ainda tenho muito para aprender. Os portugueses falam muito depressa e ainda é muito difícil compreendê-los. O meu passatempo preferido é viajar e a viagem mais interessante que fiz foi à Índia, não só pelos aspetos culturais, mas também porque foi nessa viagem que conheci a minha namorada. Gosto de cozinhar, ir ao cinema, ler e jogar ténis, mas detesto ver televisão e não me interesso nada por futebol.

2. Depois de ter lido as apresentações, organize uma entrevista para fazer a um colega de modo a poder conhecê-lo. Em seguida, será a vez do seu colega o entrevistar a si. As apresentações da Maria, do Hiroshi Tanaka e do Karl podem servir de orientação para a sua entrevista.

3. Apresente o colega que entrevistou aos outros.

4. Agora que já conhece os seus colegas, refira se tem aspetos em comum com eles.

II. A língua portuguesa no mundo.

Uma língua é uma forma de exprimir uma concepção do mundo, uma relação com os outros, uma tradição, enfim, uma cultura. A língua portuguesa foi difundida espontaneamente por navegadores, guerreiros, mercadores, marinheiros e missionários que, a partir do século XV, se espalharam pelos quatro cantos do mundo: do Brasil à Índia, Oceânia e Japão, dos Açores ao extremo sul da África. A língua portuguesa é a língua que 200 milhões de portugueses, brasileiros, africanos e asiáticos utilizam como meio de comunicação e veículo de criação e intercâmbio cultural. A língua portuguesa é a sexta língua materna a nível mundial, sendo a língua oficial de oito estados situados em quatro continentes.

Língua Portuguesa, março de 2003 (adaptado)

A LÍNGUA PORTUGUESA AO LONGO DOS SÉCULOS

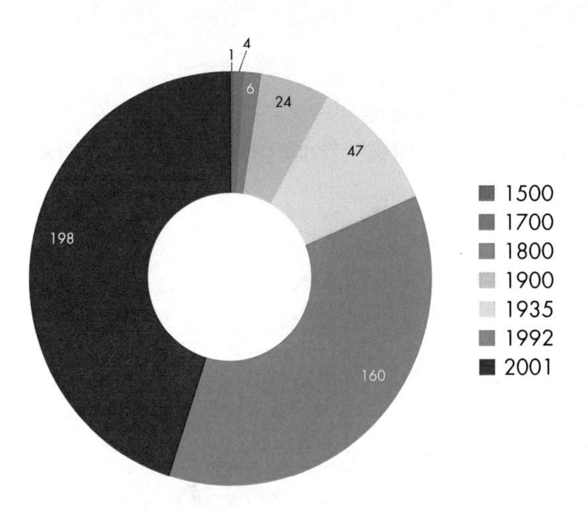

Número de falantes em milhões

AS DEZ PRINCIPAIS LÍNGUAS MATERNAS NO MUNDO

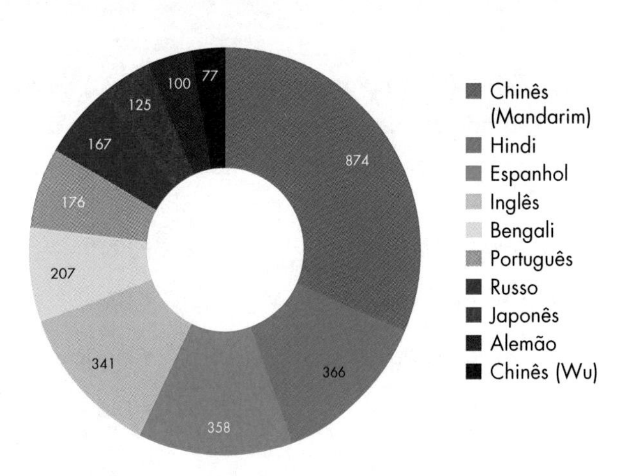

Número de falantes em milhões

Língua Portuguesa, março de 2003

1. **Identifique no mapa os países de língua oficial portuguesa.**

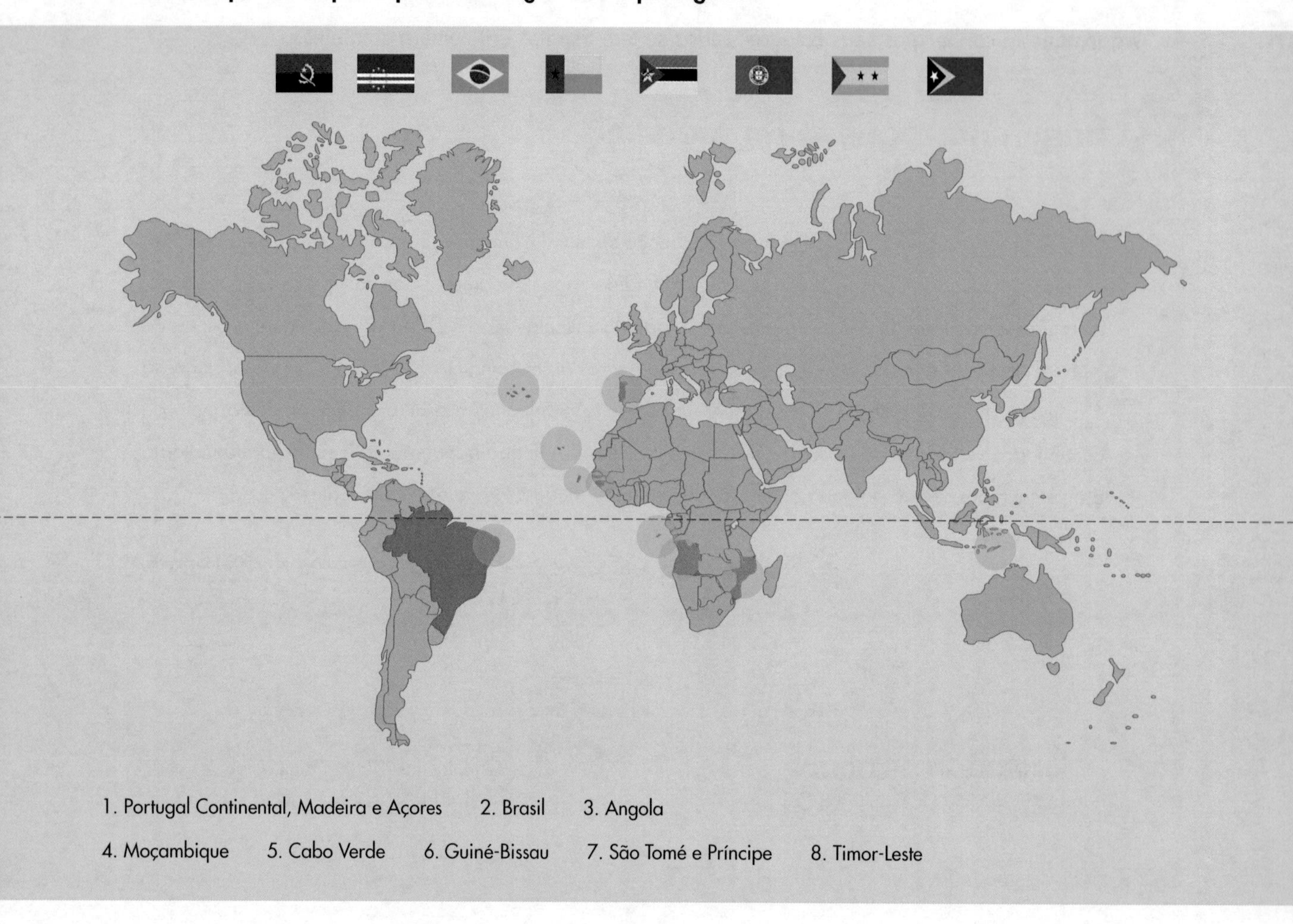

2. **Estes são os nomes de figuras conhecidas de cada um dos países de língua oficial portuguesa. Relacione os nomes com os respetivos países e com a área em que se celebrizaram. Pode pesquisar na *internet* para obter algumas informações de que necessite.**

1. Mia Couto	• Portugal	☐ Política
2. Cesária Évora	• Brasil	☐ Literatura
3. Sónia Braga	• Angola	☐ Desporto
4. Luís Figo	• Moçambique	☐ Música
5. Xanana Gusmão	• Cabo Verde	☐ Cinema e televisão
6. Vasco Cabral	• Guiné-Bissau	
7. Pepetela	• São Tomé e Príncipe	
8. Alda Espírito Santo	• Timor-Leste	

3. Com que países de língua oficial portuguesa relaciona as seguintes palavras?

1. Samba ______________________
2. Kizomba ______________________
3. Fado ______________________
4. Morna ______________________
5. Carnaval ______________________
6. Praia ______________________
7. Prémio Nobel da Paz ______________________
8. Cachupa ______________________
9. Moamba ______________________
10. Bica ______________________
11. Amazónia ______________________
12. Ilha ______________________

4. Vai ouvir dois curtos diálogos entre amigos. Ouça-os com atenção e relacione a pronúncia do português dos falantes de cada um deles com a sua origem: Português Europeu e Português do Brasil. Refira quais as diferenças de pronúncia e léxico que encontrou.

	ORIGEM	PRONÚNCIA	LÉXICO
Diálogo 1:			
Diálogo 2:			

III. Ser português.

Como nos vemos e como nos veem os outros?

Temos muito o *parece mal*. Não é que não sejamos alegres, mas somos discretos e contidos.

nós, n.º 13, 1 de agosto de 2009, jornal *i*

1. **Analise os resultados da sondagem sobre o nível de felicidade dos portugueses que se encontra no quadro abaixo e refira aqueles que mais o surpreendem. Acha que os resultados seriam muito diferentes se fossem realizados no seu país? Quais seriam esses resultados e porquê?**

AFINAL SOMOS FELIZES

O tempo é um dos bens mais escassos das sociedades ditas desenvolvidas, a preciosidade que, muitas vezes, se intromete nos trilhos da felicidade. Entra-se num ramerrame frenético e deixa-se de ter disponibilidade para a família, amigos, filhos, para si próprio, para fazer o que bem se entende. Cada um tem de descobrir as suas fontes de felicidade. Os portugueses apoiam-se principalmente na família, nos amigos e nos afetos para conquistarem elevados níveis de bem-estar. Uma sondagem exclusiva VISÃO/SIC/GfK Metris/Cesnova mostra que, neste campo, os bens materiais não são tudo.

Visão, 26 de fevereiro de 2009 (adaptado)

SUPER CONTENTES

Mais de setenta e três por cento dos inquiridos consideram-se felizes. Família, amor, saúde e amizade são os ingredientes essenciais para níveis de bem-estar elevados. Mas o dinheiro também conta…

OS SEGREDOS DA FELICIDADE			
	Qual o aspeto que mais contribui para que uma pessoa seja feliz?	**Quais são os três aspetos em que se sente mais feliz na sua vida pessoal?**	**Quais são os três aspetos em que se sente menos feliz na sua vida pessoal?**
Família	31,5	77,1	4,9
Amor	24,1	58,7	7,5
Amizade	7,5	44,5	8,6
Saúde própria	20,9	43,6	18,3
Saúde dos mais próximos	4,2	28,3	24,3
Dinheiro	3,6	12,2	59,4
Boa comida e bebida	0,1	4,5	12,5
Divertimentos	0,1	5,4	36,7
Trabalho	1,6	11,1	40,1
Outro	1,6	–	–
NS/NR	4,8	3,6	23,2

Visão, 26 de fevereiro de 2009 (adaptado)

2. **Quais seriam as suas respostas se fosse alvo desse inquérito?**

3. **Se ainda não atingiu um elevado nível de bem-estar, existem 12 passos gratuitos, estratégias defendidas pela psicologia positiva, que o podem guiar nessa caminhada até o atingir. Leia-os, diga o que pensa sobre essas estratégias e refira as que considera mais importantes. Justifique sempre as suas opiniões.**

SEGREDOS POSITIVOS

1. Expressar gratidão, através do exercício das três bênçãos. Acabar o dia a identificar as três coisas boas que nos aconteceram.
2. Não se comparar com os outros.
3. Praticar pequenos atos de generosidade, aprendendo a perdoar.
4. Cultivar, conscientemente, a amizade.
5. Deixar que as emoções, boas ou más, se libertem.
6. Fazer uma pausa no frenesim do dia a dia.
7. Arranjar tempo para o exercício físico regular.
8. Centrar a nossa atenção (nomeadamente através da meditação).
9. Ir para além do destino, interpretando o que nos acontece e o que fazemos.
10. Não se vitimizar. O que descrevemos sobre a nossa vida torna-se a nossa realidade.
11. Quer ser mais bem-disposto? Finja que é e acabará por ser.
12. Brincar mais com a vida, despreocupando-se.

Visão, 26 de fevereiro de 2009

4. **Ouça algumas frases proferidas por portugueses e estrangeiros sobre os portugueses. Quais os aspetos culturais que estão relacionados com o carácter dos portugueses?**
E você? Como vê os portugueses?

IV. Teste os seus conhecimentos sobre Portugal.

1. **Conhece algumas figuras importantes portuguesas? Relacione os nomes listados com as atividades em que se distinguiram e teste os seus conhecimentos.**

1. David Fonseca	9. Mariza
2. Afonso Henriques	10. Naide Gomes
3. Fernando Pessoa	11. José Mourinho
4. José Saramago	12. Luís de Camões
5. Vasco da Gama	13. Salazar
6. Luís Figo	14. Siza Vieira
7. Fátima Lopes	15. Maria João Pires
8. Vieira da Silva	16. Daniela Ruah

☐ Atleta	☐ Chefe de Estado (ditador)
☐ Poeta	☐ Treinador de futebol
☐ Navegador e descobridor	☐ Pianista
☐ Jogador de futebol	☐ Atriz
☐ Cantor	☐ Rei
☐ Estilista	☐ Pintora
☐ Arquiteto	☐ Escritor
☐ Fadista	☐ Poeta

2. **Quais destas fotografias relaciona com Portugal? Que outras imagens poderiam ser relacionadas com Portugal?**

B. GRAMÁTICA e VOCABULÁRIO

1. Complete as frases com os verbos no Conjuntivo: Presente, Futuro ou Imperfeito.

1. Não mudaria de emprego, mesmo que não ______________ (sentir-se) feliz a nível profissional.
2. Talvez amanhã o dia me ______________ (correr) melhor.
3. Se vocês ______________ (ver) a Maria, digam-lhe que a reunião de hoje foi adiada.
4. ______________ quando ______________ (vir), vocês sabem que podem ficar na minha casa.
5. Duvido que os resultados deste inquérito ______________ (ser) verdadeiros.
6. Se ______________ (pôr) um anúncio no jornal, tens mais possibilidade de arranjar trabalho.
7. Gostava que me ______________ (dizer) a vossa opinião sobre os resultados da sondagem.
8. Quem ______________ (ter) tempo livre e ______________ (querer) fazer um trabalho voluntário, pode consultar este *site*.
9. Seria bom que todos ______________ (poder) ter um trabalho em que ______________ (sentir-se) felizes.
10. Caso ______________ (ir) ao Porto e ______________ (ter) tempo, aproveita para fazer um cruzeiro no Douro.

2. Complete as frases com os verbos no tempo correto: Indicativo, Conjuntivo, Infinitivo Pessoal ou Imperativo.

1. Ele pediu-me que lhe ______________ (trazer) esta revista que ______________ (sair) todas as quintas-feiras.
2. Nós queremos que os nossos filhos ______________ (ter) contacto com crianças de diferentes nacionalidades.
3. Enquanto ______________ (nós/estar) de férias, tudo correu bem.
4. Não acredito que ______________ (eles/conseguir) entregar o relatório ainda hoje, pois é impossível ______________ (obter) todas as informações de que ______________ (necessitar) em tão pouco tempo.
5. Por favor, Sr. Varela, ______________ (manter-se) calmo para que todos ______________ (nós/poder) discutir esta situação sem ______________ (ficar) zangados.
6. Não vou aceitar trabalhar nessa secção, enquanto ele ______________ (ser) o diretor.

……>

7. Meus senhores, ____________ (fazer) o favor de se sentar nos vossos lugares. A sessão vai começar.

8. Todos os lugares já ____________ (preencher). As datas para o próximo concurso ____________ ____________ (divulgar) no próximo mês.

9. Quando eu ____________ (passar) pela pastelaria, ____________ (ver) a tua irmã que ____________ (estar) sentada com uns amigos, mas ela não me ____________ (ver).

10. As pessoas que ____________ (responder) a este inquérito ____________ (escolher) de forma aleatória para que os resultados ____________ (ser) fiáveis.

11. Eu não sei se todos ____________ (querer) participar nesta iniciativa, uma vez que ____________ (tratar-se) de um trabalho voluntário.

12. Apesar de ____________ (nós/ter) bastante tempo livre, raramente ____________ (sair) ao fim de semana.

13. Eles queriam saber se nós já ____________ (ir) ao Gerês.

14. Nestes últimos dias ____________ (chover) muito em todo o país.

3. Com que preposição ou preposições é que os seguintes verbos podem ser utilizados? Faça uma frase exemplificativa para cada possibilidade que encontrar.

Verbos	Preposições	Frases
1. passar		1. ____________
2. investir		2. ____________
3. dedicar-se	**com**	3. ____________
4. impedir	**por**	4. ____________
5. aproveitar	**em**	5. ____________
6. sonhar	**para**	6. ____________
7. deixar	**a**	7. ____________
8. ter saudades	**de**	8. ____________
9. esforçar-se		9. ____________
10. arrepender-se		10. ____________
		11. ____________
		12. ____________

4. **Complete o texto com as palavras que se encontram dentro do quadro.**

básicas	**através**	**restrito**	**mesmo**	**adquirido**
constantes	**sobre**	**a par**	**veiculada**	**à**
objeto	**nomeadamente**	**centrada**	**sido**	**a**

A preocupação com a felicidade não é nova mas, recentemente, tem ________________ mais visibilidade ________________ da comunicação social, refletindo um interesse crescente pelo fenómeno. Este apelo ________________ felicidade é um indicador do quanto os atores sociais estão dispostos ______ orientar a sua conduta em função dela.

Questionamo-nos sobre se tal fenómeno deve ficar ____________ à função de "autoajuda", ____________ por jornais, livros e outras publicações, ou pode ser ____________ de investigação científica, ____________ da Sociologia.

Os estudos ________________ felicidade desde há muito procuram relacionar as condições económicas dos indivíduos e ________________ dos países com as flutuações dos sentimentos das pessoas. A hipótese ________________ na existência de uma relação de causalidade entre crescimento económico e satisfação das necessidades ________________, melhoria das condições de vida e aumento de felicidade, tem ________________ difícil de confirmar. ________________ das melhorias, aumentam as depressões, o stresse e a ansiedade; as solicitações hedonistas são ____________, mas existem a par de inquietudes, deceções e insegurança social.

Ana Roque Dantas, *Visão*, 26 de fevereiro de 2009

5. **Complete o quadro.**

SUBSTANTIVO	ADJETIVO
a saudade	
	inovador
a variedade	
	contente
	dominante
o otimismo	
a obrigação	
	defensor
	crescente
a contradição	

6. Relacione os verbos com as expressões na coluna da direita e explique o seu significado, fazendo uma frase exemplificativa com cada um.

1. gozar	• ao trabalho
2. dar-se	• um anúncio
3. mudar	• uma dificuldade
4. pôr	• férias
5. ultrapassar	• um risco
6. apoiar-se	• de vida
7. correr	• nos amigos

1. ______________________________

____

2. ______________________________

____

3. ______________________________

____

4. ______________________________

____

5. ______________________________

____

6. ______________________________

____

7. ______________________________

____

C. ORTOGRAFIA e PRONÚNCIA

1. Complete as palavras com o ou u. Em seguida, ouça as palavras para confirmar o som.

O [u]	ou	U [u]

c___lher	des___mano	ass___mir	s___ssego
form___lário	res___lução	prod___to	ch___cado
mai___ria	inquiet___des	s___licitação	sis___do
s___rriso	com___nicativo	s___bretudo	f___rar
asseg___rar	cont___do	r___tura	s___lidário
testem___nho	séc___lo	rót___lo	ent___siasmo
v___luntário	val___rizar	n___vela	ass___stado
disp___nibilidade	circ___lar	conte___do	f___racão
ac___lhedor	nam___rado	b___raco	ins___lto
r___mo	s___cializar	muç___lmanos	euf___ria

2. Coloque as palavras na coluna adequada, de acordo com a pronúncia do o assinalado em cada uma delas. Em seguida, ouça as palavras e verifique se as colocou corretamente.

fator olhos pobreza foca tolice motivo troco sono roteiro aposta escola posto fortaleza tosse local olho bolacha telefone bolo troca tosta rolo norma formiga zona rota domínio noção rosto namoro procura acordo gosto toca

O		
[o] fator	[u] pobreza	[ɔ] olhos

D. PRODUÇÃO ESCRITA

Comente a seguinte afirmação. Escreva entre 150 e 180 palavras.

"... apesar do desenvolvimento económico dos últimos 50 anos, em que as pessoas se tornaram mais ricas, passaram a trabalhar menos, a gozar mais férias, a viajar mais, a terem uma maior esperança de vida e a serem mais saudáveis, esse período não se traduziu em acréscimos na satisfação com a vida."

Richard Layard, *Happiness – Lessons from a new Science* (2005)

E. TAREFA

Pesquise na *internet* informações para:

1. Fazer a biografia de uma das figuras famosas de Portugal e apresente-a aos seus colegas. Será que eles sabem de quem está a falar?

ou

2. Fazer a biografia de uma pessoa célebre do seu país e apresente essa figura aos seus colegas para ver se eles sabem o seu nome.

ou

3. Fazer uma apresentação sobre um dos países de língua oficial portuguesa: localização, clima, população, características geográficas, religião, capital e cidades importantes, informações de carácter económico, gastronómico e tradições. Caso seja possível, retire algumas imagens para poder enriquecer a sua apresentação a nível visual.

TEMPO LIVRE

UNIDADE 2

A. TEXTOS, CONTEXTOS e PRETEXTOS

I. Tempo livre?

1. **Antes de ler, repare no título e na imagem do texto e, com os colegas, levante hipóteses acerca do seu conteúdo.**

2. **Leia o texto e confirme se as suas hipóteses estavam certas.**

TEMPO É DINHEIRO

POUPE O SEU E SEJA MAIS FELIZ

O avanço tecnológico deveria aumentar a produtividade e **reduzir** o tempo de trabalho. Porém, na prática, isso não se verifica: as estatísticas oficiais dizem que quase um milhão de portugueses trabalha mais de 40 horas por semana e que a média nacional é **superior** à europeia. Em 2008, a carga semanal até aumentou. "Somos conhecidos por trabalhar até mais tarde (não necessariamente com a correspondente produtividade – aliás, a nossa maior fraqueza, sobejamente conhecida), tendo como consequência o facto de dispormos de menos tempo para a família, os amigos e o lazer", lembra Pedro Oliveira, diretor da *Albenture*, uma empresa que oferece serviços de ajuda para conciliar a vida **laboral** com a vida pessoal. Uma investigação da *Eurofound*, o braço da União Europeia que estuda as condições de trabalho, concluiu que um em cada quatro portugueses trabalha seis ou sete dias por semana.

Embora algumas vezes seja por necessidade, é frequente as pessoas trabalharem mais apenas pelo dinheiro. "Há efetivamente uma tendência para as pessoas orientarem as suas vidas em função do dinheiro. Contudo, a vasta investigação nesta área sugere que a felicidade não é conquistada através do dinheiro – a partir de um nível médio socioeconómico, não existe uma diferença **significativa** em termos de felicidade, no Ocidente", avisa Catarina Rivero, psicóloga e terapeuta familiar. O objetivo de ganhar mais dinheiro **em detrimento** de ter mais tempo longe do trabalho acaba por provocar um desequilíbrio familiar. Em 2006, numa investigação do *International Research Institute*, 57% dos portugueses admitiu não ter equilíbrio entre trabalho e vida pessoal. "Pode dizer-se que aqueles que procuram felicidade na acumulação de dinheiro e riqueza não estão necessariamente a **assegurá-la**: o materialismo provou estar negativamente associado

……>

a muitas das medidas de qualidade de vida estudadas", lembra Gabriela de Abreu, fundadora da Associação Portuguesa de Estudos e Intervenção em Psicologia Positiva.

O dinheiro é importante, mas não se deve fazer tudo por ele. "O foco de cada pessoa deveria estar em colocar o dinheiro a trabalhar para ela e não estar a trabalhar para ganhar dinheiro", aconselha Pedro Queiroga Carrilho, autor do livro *O Seu Primeiro Milhão*. "Colocar o dinheiro a trabalhar para nós significa, por exemplo, poupar e investir regularmente de modo a uma parte dos nossos rendimentos **provir** dos juros e retorno de investimentos que fazemos", concretiza.

Se é um dos muitos portugueses que pensam que as 24 horas do dia não são suficientes para o trabalho e família, está na hora de sair do ciclo **vicioso**. Comece já hoje a ser mais produtivo, a trabalhar menos e a gozar mais com a família.

David Almas, *i*, 22 de junho de 2009

3. De acordo com o sentido do texto, faça corresponder as palavras aos respetivos sinónimos ou significados.

1. reduzir	• rotineiro, habitual
2. superior	• garantir
3. laboral	• derivar, resultar
4. significativa	• diminuir
5. detrimento	• relativo ao trabalho
6. assegurar	• importante, assinalável
7. provir	• mais elevado
8. vicioso	• prejuízo

4. Eis uma lista de frases. Assinale se são verdadeiras ou falsas, consoante estejam, ou não, de acordo com o sentido do texto.

Frase	V	F
1. A tecnologia tem ajudado o homem a ter mais tempo para si.	☐	☐
2. Os portugueses têm cada vez mais tempo livre.	☐	☐
3. Trabalhar mais tempo é sempre sinónimo de mais e melhor trabalho.	☐	☐
4. A maior parte das pessoas trabalha mais horas porque precisa.	☐	☐
5. Ter tempo para estar com a família e os amigos é indispensável à qualidade de vida.	☐	☐
6. Já existem profissionais que ajudam as pessoas a organizar e a gerir o tempo.	☐	☐
7. Quanto mais dinheiro têm, maior é a satisfação das pessoas.	☐	☐

5. **E você, o que pensa? A situação no seu país é semelhante à exposta neste artigo? Acha que, atualmente, as pessoas trabalham mais horas? Pensa que estão realmente a perder qualidade de vida? Que motivos as levarão a agir assim?**

Discuta estas questões com os seus colegas. Aqui fica um ponto de partida:

- ambição material;
- necessidade de reconhecimento profissional;
- medo de perder o emprego;
- promoção social através do consumo de produtos e de bens de marca reconhecida;
- ambição de estatuto profissional.

II. Mais e melhor tempo livre, precisa-se!

Trabalhar o dia inteiro, passar o dia na escola, ficar horas à frente da televisão ou agarrado ao computador?!...

1. **Leia o texto.**

A "saúde da sociedade" estabelece-se a partir do estado particular de satisfação das pessoas, das famílias, dos grupos ou das comunidades. A evolução das mentalidades destes atores sociais no campo das exigências de uma melhor qualidade de vida e bem-estar, em particular nas grandes aglomerações urbanas, começa a fazer o seu caminho, sobretudo no que respeita à forma de organização e gestão do tempo e dos afetos.
O que está a ser descoberto, paulatinamente, é que a qualidade de vida pode ser melhorada, deve ser exigida e é, acima de tudo, um direito de cidadania, que contribui para a longevidade, a saúde e o bem-estar. A partir daí, chega-se facilmente à importância do tempo livre, o que quer dizer que podemos estar a um pequeno passo de poder escolher e ter uma vida melhor.

António Mendes Lopes, *Página da Educação*, n.º 111, abril de 2002

1.1. **Ordene as frases de forma a fazer o resumo do texto.**

1. A sociedade é tanto mais saudável quanto mais realizados se sentirem os seus elementos.	☐
2. O homem começa a perceber que a qualidade de vida de cada um e de todos no seu conjunto pode ser aumentada.	☐

......>

3. A maneira de pensar sobre o bem-estar individual e coletivo tem vindo a transformar-se.	☐
4. O tempo livre é fundamental para uma vida de qualidade.	☐
5. O homem começa a prestar mais atenção ao modo como planeia e gere o seu tempo e os seus sentimentos, sobretudo nas grandes cidades.	☐
6. Está nas nossas mãos melhorar a nossa vida.	☐

1.2. Está de acordo com o autor do texto? Fundamente a sua opinião.

2. Fale com os seus colegas sobre a ocupação do tempo livre: o que fazem para evitar a rotina? Que hábitos saudáveis têm? Que atividade(s) procuram para se sentirem melhor? Quando começaram a praticá-la(s)? Que tempo lhe(s) dedicam? Que benefícios lhes proporcionam?

Aqui ficam algumas pistas...

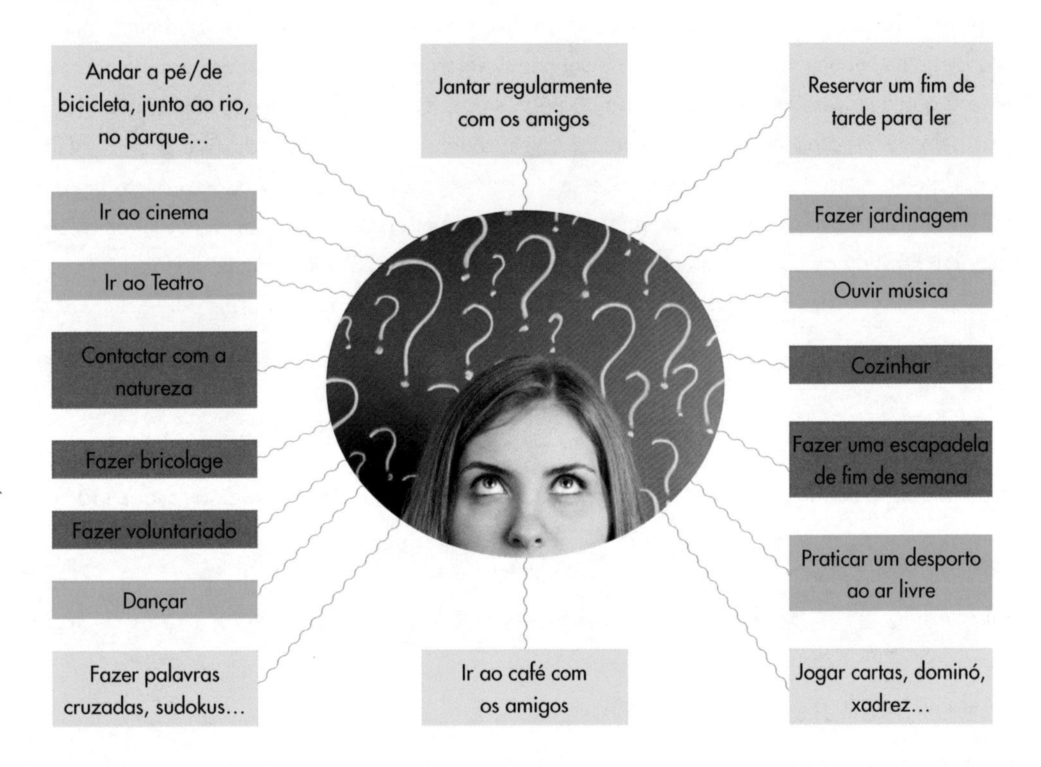

3. Muitas vezes, as pessoas arranjam desculpas para não mudarem de hábitos. Porque é que acha que o fazem? Porque consideram difícil ou mesmo impossível fazê-lo? Porque se entregam à rotina? Levante hipóteses com os seus colegas.

4. **Imagine que lhe aparecia o génio da lâmpada e que este o livrava de todas as obrigações nos próximos dois dias.**

4.1. **O que faria? Pense em cinco coisas que gostaria de fazer e que nunca realizou.**

4.2. **Partilhe-as com os seus colegas e explique-lhes porque nunca as fez antes: porque não pôde? por preguiça? por falta de coragem?...**

5. **"Não deixes para amanhã o que podes fazer hoje" é um dos muitos provérbios portugueses sobre a boa gestão do tempo, pois muitas vezes é por *preguiça*, por *comodismo*, que nos entediamos.**

Leia este excerto de uma crónica sobre a preguiça.

ANATOMIA DA PREGUIÇA

Talvez seja da idade ou da sabedoria, ou da precedência de uma sobre a outra, mas a verdade é que quando ouço o *slogan* estafado do "direito à preguiça" já não consigo sorrir. Primeiro, porque alguém teve o trabalho de dizer semelhante coisa; depois, porque pura e simplesmente não faz sentido. A preguiça está longe de ser um "direito" que tem de ser conquistado pelo simples facto de ser uma característica inata a qualquer ser humano. Ou se usa ou não se usa, ponto. Pelo ócio sim, vale a pena lutar. Mas lutar pelo ócio – algo nobre e, como dizia Óscar Wilde, a coisa "mais difícil e a mais intelectual" – dá trabalho e nisso não vão os preguiçosos. O ócio é a ausência de atividade prática, que se pode transformar noutra contemplativa ou egoísta e simples, como provar um bom vinho, ler em silêncio ou olhar o mar. A preguiça é uma pura recusa da atividade. É uma solução fácil, como fáceis são todas as soluções niilistas. Mas não tem graça nem compensa. Eu sei. Já fui preguiçoso.

Pedro Miguel Guedes, *i*, 13 de junho de 2009

5.1. **De acordo com o sentido do texto, complete as frases com as palavras e expressões indicadas.**

trabalho	ócio	ser humano	útil	alegria
a mesma coisa	razão de ser	benefício	negação	prazer

1. A expressão "direito à preguiça" não tem ______________.
2. A preguiça é natural no ______________.
3. Preguiça e ócio não são ______________.
4. Os preguiçosos não lutam pelo ______________, pois isso dá ______________.

......>

5. No ócio, não há ocupação _______________, mas há ocupação pessoal e interior.
6. Um momento de ócio é um momento de _______________.
7. A preguiça é desinteresse e _______________.
8. Ser preguiçoso não traz _______________ nem _______________.

5.2. Eis aqui uma lista de provérbios sobre a preguiça. Leia-os, escolha dois que considere mais relevantes e explique o seu sentido.

A preguiça morreu de sede ao pé de um rio.
A preguiça é a mãe de todos os vícios.
Quem tem preguiça, não faz casa de telhado.
A preguiça consome todas as virtudes.
Para o preguiçoso, todos os dias são feriados.
Não há fardo mais pesado que o da preguiça.
A preguiça nunca fez bom feito.
Se tem preguiça o lavrador, comem-lhe os ratos o melhor.
Muitas vezes, se perde por preguiça o que se ganha por justiça.
Não há domingo sem missa, nem segunda-feira sem preguiça.

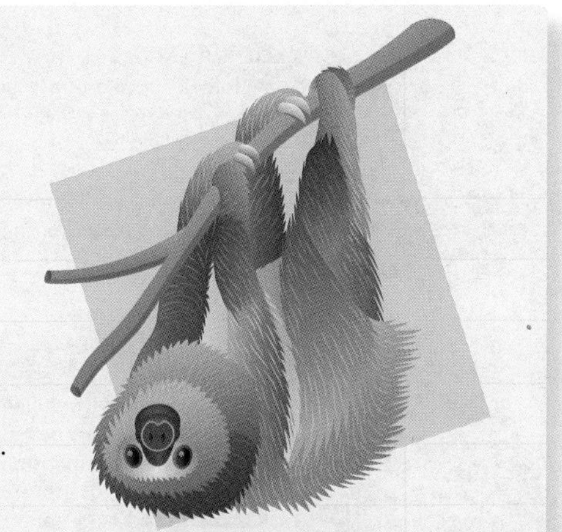

http://www.sitequente.com/proverbios/preguica.html

6. Pesquise na *internet* uma das canções que a seguir se indicam. Ouça-a e transcreva o refrão.

É p'ra amanhã – António Variações
Fazer o que ainda não foi feito – Pedro Abrunhosa & Comité Caviar
Amanhã é sempre longe de mais – Rádio Macau
Todo o Tempo do Mundo – Rui Veloso
Um contra o outro – Deolinda

Título da canção: _______________

Autor/cantor: _______________

Refrão: _______________

____

____

____

____

III. Fugir à rotina, aproveitar a vida...

1. São diversas as atividades que se oferecem aos portugueses para fugirem à rotina quotidiana. Para este mês, eis algumas delas.

1.1. A partir dos títulos e das imagens, tente explicar as características de cada um destes programas de lazer.

1.2. Leia as propostas da revista e explique aos seus colegas a que escolheria para o seu tempo livre.

LEITURA EM DIA
José Luís Peixoto é o convidado da sessão desta quinta, das Quintas de Leitura, no Teatro do Campo Alegre, no Porto, que inclui uma grande festa da poesia com duração superior a duas horas. O escritor apresenta alguns fragmentos do seu novo romance.

FESTIVAL DE CINEMA DO ESTORIL
David Cronenberg e Juliette Binoche são os homenageados desta 3.ª edição. A homenagem ao cineasta canadiano inclui a exibição integral da sua cinematografia, entre longas e curtas-metragens, produção para televisão e para publicidade. Já a atriz francesa marca presença na abertura do festival e apresenta uma exposição com mais de 60 pinturas, poemas e retratos das personagens que interpretou no cinema.

HUMOR NA FÁBRICA
A Fábrica Braço de Prata, em Lisboa, recebe a sua 4.ª noite de *stand up comedy*. Os protagonistas são António Raminhos, Carlos Moura e Pedro Ribeiro. Pelas 22h30, a sala Prado Coelho vai ser palco de mais de 1h30 de comédia, textos novos e inúmeras ideias. Não perca uma noite bem diferente e divertida.

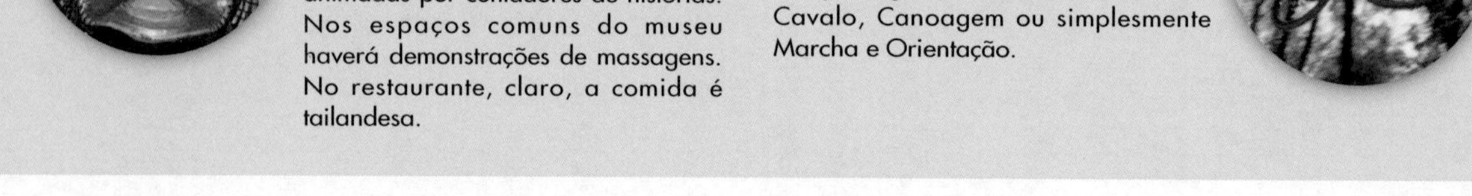

TAILÂNDIA EM FESTA
Mês da Tailândia no Museu do Oriente. Uma exposição de fotografia de Miguel Figueiredo e José P. Ribeiro, além de uma exposição temporária, *Máscaras da Tailândia*, com oficinas para os mais novos. As tardes de domingo são animadas por contadores de histórias. Nos espaços comuns do museu haverá demonstrações de massagens. No restaurante, claro, a comida é tailandesa.

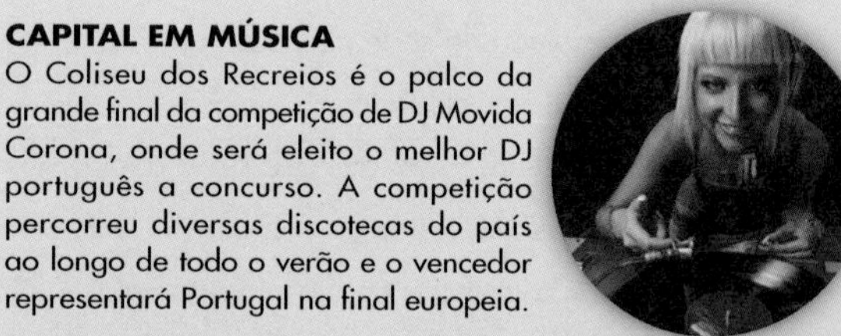

CAPITAL EM MÚSICA
O Coliseu dos Recreios é o palco da grande final da competição de DJ Movida Corona, onde será eleito o melhor DJ português a concurso. A competição percorreu diversas discotecas do país ao longo de todo o verão e o vencedor representará Portugal na final europeia.

FESTA DA RENTRÉE
A Fundação de Serralves, no Porto, preparou uma grande festa para celebrar a chegada da nova estação. Ao longo do fim de semana há inúmeras atividades para todas as idades: oficinas em família, teatro de marionetas, música, cinema e visitas guiadas ao Museu e Parque. Tudo com entrada gratuita.

RELAXAR NO CASTELO DE S. JORGE
Numa área até agora inexplorada do monumento, foi inaugurado um *lounge*, um novo espaço que promete um ambiente descontraído, com esplanada, *puffs* e mesinhas baixas. Garantidas estão as boas vistas neste canto relaxante de Lisboa.

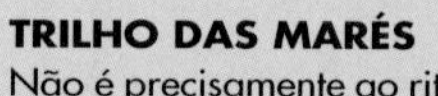

TRILHO DAS MARÉS
Não é precisamente ao ritmo das marés, mas entre o mar e a planície que se corre o Trilho das Marés. Há percursos para todos os fôlegos, idades e preparações físicas. A natureza em todo o seu esplendor, do verde do campo ao azul do mar. Divertido, saudável, ao seu ritmo; com ou sem companhia, o que não falta são novos amigos para conhecer.

AVENTURA E EMOÇÃO
Pelas suas características geomorfológicas, Sever do Vouga predispõe-se à prática de desportos típicos de Turismo Ativo, com destaque para o Todo o Terreno, *Canyoning*, BTT, *Paintball*, Passeio a Cavalo, Canoagem ou simplesmente Marcha e Orientação.

2. **Convença um colega a participar numa das atividades abaixo indicadas. Utilize o vocabulário apresentado.**

Surf no Guincho | **Fado** | **Voluntariado**

Surf no Guincho	Fado	Voluntariado
liberdade	música	solidariedade
mar	guitarra portuguesa	crianças
praia	nostalgia	afeto
aventura	restaurante	jogos
equilíbrio	convívio	apoio escolar

IV. Férias...

1. **Leia esta definição pessoal de férias.**

> Vamos de férias para nos distanciarmos do nosso quotidiano, para significar o tempo de outra maneira, para pontuarmos o nosso estilo de vida de acontecimentos e sensações diferentes.
>
> Isabel Leal, *Notícias Magazine*, 12 de julho de 2009

1.1. **Está de acordo com esta opinião? O que são férias para si? Quais foram as suas melhores férias? Costuma programá-las com antecedência? Como?**

Fale um pouco da sua experiência sobre este tema e conheça a perspetiva dos seus colegas.

2. **Ouça estes três testemunhos de portugueses com alma de viajante. Sobre cada um, tente responder às seguintes questões.**

	QUEM?	O QUÊ?	COMO?	QUANDO?	PORQUÊ?
Testemunho 1:					
Testemunho 2:					
Testemunho 3:					

3. **À procura do paraíso... da diferença... de emoções fortes... do perigo?**

3.1. **Observe bem todas estas fotografias e explique os contrastes que apresentam relativamente aos conceitos de férias que traduzem.**

3.2. É já frequente encontrar títulos como estes na imprensa portuguesa:

IR À GUERRA... NAS FÉRIAS

Fazer turismo no Afeganistão, Iraque ou Irão? Há quem faça, porque a oferta também existe.

Visão, 30 de julho de 2009

TURISMO TRÁGICO

Visitam-se palcos de massacres, zonas fustigadas por tempestades, bairros de lata e até as pontes favoritas dos suicidas. É o turismo trágico, uma das formas atuais e controversas de ocupar os tempos livres.

Expresso, 28 de fevereiro de 2009

O que pensa desta forma de turismo? O que levará as pessoas a ocuparem as férias em cenários destes? Seria também capaz de fazer umas férias destas? Porquê?

B. GRAMÁTICA e VOCABULÁRIO

1. *Tempos livres* é uma expressão que se refere aos momentos de lazer, em que se descansa ou se faz aquilo de que se tem vontade. Muitas outras expressões existem em português com a palavra *tempo*.

Relacione os elementos das duas colunas para descobrir o significado de algumas dessas expressões.

1. em três tempos	☐ desde há um período relativamente grande
2. tempo recorde	☐ período próspero
3. tempo inteiro	☐ época agitada, em que há confrontos
4. tempo letivo	☐ período de trabalho em horário completo
5. tempo parcial	☐ ocupar-se de coisas sem importância
6. tempo dos afonsinhos*	☐ momentos em que não há nada para fazer
7. tempo das vacas gordas	☐ esperar, não ter pressa
8. tempo das vacas magras	☐ aguardar o momento favorável para reverter uma situação a seu favor
9. tempos dourados	☐ período de curta duração
10. perda de tempo; tempo perdido/mal gasto	☐ período de dificuldades, de crise económica
11. tempo morto	☐ rapidamente
12. tempos revoltos	☐ momentos gastos inutilmente, desperdiçados
13. tempo de capacete	☐ tempos antiquados, desatualizados
14. a tempo e horas	☐ demorar-se, esperar
15. dar tempo ao tempo	☐ período de tempo em horário reduzido
16. fazer tempo	☐ duração de uma aula
17. ganhar tempo	☐ o que é quente e húmido, abafado, com o céu toldado de nuvens
18. há que tempos	☐ período de prosperidade, de fartura
19. matar o tempo	☐ no momento oportuno

* **era dos afonsinhos**: alusão aos tempos em que reinaram os primeiros Afonsos de Portugal.

Dicionário da Língua Portuguesa Contemporânea, Academia das Ciências de Lisboa

2. Complete o quadro. Se precisar, utilize o dicionário.

SUBSTANTIVO	VERBO	ADJETIVO
a exigência		
	entediar	

……>

SUBSTANTIVO	VERBO	ADJETIVO
a coragem		
		cómodo
	dinamizar	
a ambição		
		produtivo
	cansar	
o hábito		
o divertimento		
	equilibrar	
		gozão
a conciliação		
	recear	
a promoção		
	satisfazer	

3. No quadro que se segue são-lhe apresentados alguns adjetivos usualmente considerados como referentes a características negativas. Procure os antónimos, completando as indicações dadas. Se necessário, consulte o dicionário.

monótono	≠	v_ _ _ _ _o	nervoso	≠	d_ _ _ _ _ _ _ _ _ _o
ambicioso	≠	m_ _ _ _ _o	frustrado	≠	r_ _ _ _ _ _ _o
pessimista	≠	o_ _ _ _ _ _a	conflituoso	≠	h_ _ _ _ _ _ _ _o
indolente	≠	d_ _ _ _ _ _o	comodista	≠	e_ _ _ _ _ _ _ _ _ _r
prejudicial	≠	s_ _ _ _ _ _l	medroso	≠	a_ _ _ _ _ _ _o

4. Pretérito Mais-que-Perfeito do Conjuntivo

Forma-se com o verbo auxiliar **ter** conjugado no **Imperfeito do Conjuntivo** e o **Particípio Passado** do verbo principal.

eu	tivesse	ido
tu	tivesses	vindo
você, ela, ele	tivesse	posto
nós	tivéssemos	viajado
vocês, elas, eles	tivessem	comprado

Utiliza-se o **Pretérito Mais-que-Perfeito do Conjuntivo** para falar de:

a) ações que não se concretizaram no passado.
- em frases condicionais

Se	+	Pretérito Mais-que-Perfeito do Conjuntivo	+	Pretérito Mais-que-Perfeito Composto do Indicativo / Condicional Pretérito

EXEMPLO: *Se eu **tivesse tido** férias em Agosto, tinha ido/teria ido com eles à Croácia.*
- em frases exclamativas

EXEMPLO: *Quem me dera que tu **tivesses vindo** de férias connosco!*

b) ações no passado, anteriores a outras também no passado, depois de uma expressão que exija o Presente do Conjuntivo.

EXEMPLO: *Embora eles tivessem chegado a horas à conferência, já não conseguiram lugares sentados.*

4.1. Complete com o Pretérito Mais-que-Perfeito do Conjuntivo dos verbos indicados.

1. Todos tivemos pena que vocês não ________________ (chegar) a tempo.
2. Se eu ________________ (saber) que tu não vinhas, teria adiado o jantar.
3. O ideal era que ninguém lhe ________________ (dizer) a verdade!
4. Embora eles ________________ (sair) cedo de casa, já não conseguiram apanhar o avião.
5. Caso tu ________________ (fazer) como eu te sugeri, o resultado teria sido outro.
6. Era preferível que nós não ________________ (ouvir) o que ela disse; não teríamos ficado tão mal impressionados.
7. Quem me dera que o euromilhões me ________________ (sair) a mim e não àqueles dois amigos.
8. Oxalá eu ________________ (escolher) outro caminho menos movimentado!
9. Lamentei profundamente que você ________________ (decidir) dessa maneira.
10. Ainda que eu os ________________ (prevenir) do perigo, eles não teriam deixado de ir.

5. Para a expressão de uma condição que não se realizou no passado utiliza-se:

Pretérito Mais-que-Perfeito Composto do Conjuntivo	+	Condicional Pretérito / Pretérito Mais-que-Perfeito Composto do Indicativo

EXEMPLO: *Se a Joana não **tivesse trabalhado** até tão tarde, **teria visto/tinha visto** a filha antes de se deitar.*

5.1. De acordo com a sua imaginação, complete com a forma verbal correta.

1. Não terias chegado atrasado, se ____
____.

2. Se tu tivesses evitado mais a rotina do dia a dia, ______________________________
______________________________.
3. Caso eles não tivessem passado tanto tempo no computador, ______________________________
______________________________.
4. Eu teria passado um fim de semana mais tranquilo, se ______________________________
______________________________.
5. Se nós tivéssemos sido mais produtivos no trabalho, ______________________________
______________________________.
6. Você não teria ficado em último lugar, se ______________________________
______________________________.
7. Se tivesses sido tu a ganhar o prémio, ______________________________
______________________________.
8. Nós teríamos ido contigo, desde que ______________________________
______________________________.
9. Caso tivesse tido esta ideia antes, ______________________________
______________________________.
10. Vocês nunca teriam tido estas férias maravilhosas, se ______________________________
______________________________.

6. Complete as frases que expressam condição com os verbos conjugados no tempo verbal adequado.

1. Se eu __________ (poder) ir convosco, ligo-vos ainda hoje.
2. Eles não __________ (aceitar) o convite, se lhes tivéssemos telefonado em cima da hora.
3. Eu iria com vocês no InterRail, se __________ (ser) mais novo e __________ (poder) andar melhor.
4. As férias teriam corrido melhor, se vocês as __________ (planear) com mais antecedência.
5. Se __________ (ver) a Isabel, diz-lhe que preciso de falar com ela.
6. Teremos de pagar 50% do preço do hotel, caso não __________ (poder) ir e __________ (querer) cancelar a reserva que fizemos.
7. Se __________ (ter) uns dias de férias no fim do ano, estou a pensar fazer a passagem do ano num sítio com neve. Não queres vir?
8. Os teus pais __________ (ficar) contentes, se lhes oferecesses um fim de semana numa pousada.
9. Os senhores terão um desconto de 20%, caso __________ (marcar) a viagem antes do final deste mês.
10. Se eu __________ (ter) dinheiro, gostava de fazer um cruzeiro.

C. ORTOGRAFIA e PRONÚNCIA

1. Complete as palavras com s ou z. Em seguida, ouça as palavras para confirmar o som.

s [z] [ʃ]	ou	z [z] [ʃ]

a___ar	rapa___ote	avare___a	deva___tar	e___cola
ca___aco	e___cravo	e___quema	ridiculari___ar	ga___oso
co___inheiro	gulo___eima	de___enho	rapide___	nari___
pobre___a	atrá___	entusia___mo	tran___parente	rique___a
va___o	fe___ta	flore___ta	e___trada	de___porto
ananá___	e___tranho	manife___tação	limpe___a	reali___ação
bele___a	caba___	___ebra	re___piração	e___querda
lápi___	e___plêndido	lu___	crepú___culo	á___pero

2. Coloque as palavras na coluna adequada, de acordo com a pronúncia do s ou do z assinalado em cada uma delas. Em seguida, ouça as palavras e verifique se as colocou corretamente.

isqueiro chinês pescador firmeza framboesa lilás capataz cinzeiro crescimento casca férias azeite adesivo intransigência perdiz realização reserva paz postal magreza resultado hospital mesa voz televisão espirro ténis arroz espelho ascensor arrozal poesia beleza substância princesa malvadez esquentador cais rapidez

S		Z	
[z] casa	[ʃ] nascimento	[z] azeitona	[ʃ] rapaz

D. PRODUÇÃO ESCRITA

Leia agora outro apontamento sobre as alterações da qualidade de vida. Em seguida, escreva a sua própria opinião, apoiando-se nas estruturas indicadas.

TEMPO LIVRE – A ALTERNATIVA SAUDÁVEL

Cada época manifesta uma maneira de encarar a vida e festejar o sonho de realizações únicas para o seu tempo. No último meio século, os indivíduos, as famílias e os grupos têm-se vindo a entregar, de uma certa forma, a diversos governos, às grandes empresas, à elite dos chefes de fila, ou aos *experts* de todos os matizes que se têm posicionado para dirigir e gerir os diferentes aspetos da vida corrente dos cidadãos.

Pode dizer-se que, principalmente nas últimas décadas, as pessoas começaram a perder verdadeiramente o controlo do seu destino, pois, muitas dimensões da sua existência são presentemente condicionadas, em parte, pela grande finança, pelo *big brother* televisivo, ou pela superprodução e consumo de produtos, bens e serviços desnecessários.

Para além destes aspetos, deve-se igualmente ter em conta os fatores relacionados com a invasão tecnológica, os maus hábitos alimentares, o acentuar da vida sedentária, a desenfreada competição profissional, o congestionamento dos transportes, a má qualidade do ambiente, todos eles com graves prejuízos para a vida das pessoas.

António Mendes Lopes, *Página da Educação*, n.º 111, abril de 2002

PARA INTRODUZIR A OPINIÃO			PARA JUSTIFICAR	PARA OPOR ARGUMENTOS
Na minha opinião, **Do meu ponto de vista,** **(N)a minha perspetiva (é que...),**	**(Eu) Acho que...** **(Eu) Penso que...** **(Eu) Creio que...** **(Eu) Julgo que...** **(Eu) Acredito que...**	**(A mim) Parece-me que...**	**porque...** **pois...** **já que...** **visto que...** **uma vez que...**	**contudo...** **no entanto...** **mas...** **se bem que...** **embora...**

Eu penso que ____

____

____

____

____

E. TAREFA

1. **No final deste curso de português, resolve propor aos seus colegas fazerem uma viagem de três a cinco dias a Portugal. Vai apresentar-lhes um programa completo para que seja mais fácil obter a sua adesão.**

Para isso, primeiro tem de:

- escolher a região de Portugal que visitarão;
- decidir o meio de transporte;
- apresentar duas ou três hipóteses de alojamento;
- sugerir atividades de lazer para de dia e para a noite;
- calcular o custo de toda a viagem.

...

Pesquise na *internet*, mas também em revistas e agências de viagens.

ou

2. **O mesmo que em 1., mas para uma região do seu país.**

SAÚDE

GASTRONOMIA

UNIDADE 3

I. Alimentação saudável?

1. **Restrições à publicidade, redução nos teores de açúcar e sal nos alimentos, rotulagem mais clara, distribuição de fruta nas escolas, nutricionistas nos centros de saúde, cidades "amigas" da atividade física, informação sobre alimentação saudável acessível para todos. Será o tudo ou nada no combate a uma doença cada vez mais comum nas sociedades modernas, a obesidade? João Breda, nutricionista e coordenador da Plataforma contra a Obesidade, acredita que sim e explica porquê.**

Um estudo recente indica que mais de metade da população portuguesa tem excesso de peso e evidencia que o problema afeta sobretudo pessoas dos estratos sociais mais desfavorecidos. O que mudou no paradigma da obesidade?

Essa é uma tendência europeia, é global, e resulta essencialmente de duas razões: os pobres têm menos condições para praticar atividade física e para aceder a alimentos considerados mais saudáveis e "protetores" face ao excesso de peso e a outros problemas de saúde, como é o caso das hortofrutícolas. À volta das grandes cidades, encontram-se zonas de exclusão social, onde o receio de sair e brincar na rua coabita com a ausência de infraestruturas desportivas e de mini-mercados ou mercearias, nas quais as pessoas se poderiam abastecer dos produtos considerados mais saudáveis. Nesta malha vivem pessoas menos escolarizadas, com menos acesso a informação e com um poder de compra baixo.

No passado a gordura era apanágio dos ricos e as populações mais pobres enfrentavam a subnutrição e a fome. Hoje já não é assim?

Os hábitos alimentares mudaram muito. Assistimos a uma perda dos valores da dieta mediterrânica e longe está o tempo em que a obesidade era uma doença dos ricos, da abundância. Atualmente, o excesso de peso e a obesidade decorrem de novas dinâmicas sociais. Os mais pobres dificilmente têm acesso aos alimentos saudáveis, menos calóricos, porque são mais caros. Estes saciam mais por serem possuidores de uma elevada densidade nutricional e baixa densidade energética, que é o mesmo que dizer que nos dão muitos nutrientes e poucas calorias. Por tudo isto, combater a obesidade também é atacar as desigualdades sociais.

Que avaliação faz da alimentação servida em meio escolar?

Melhorou muito nos últimos anos. É mais difícil intervir ao nível do ensino secundário. Fizemos um estudo que confirmou que os jovens não vão ao refeitório escolar mesmo quando consideram que as refeições servidas são boas porque entendem que aquele local é desinteressante. É preciso envolver os alunos adolescentes em todas as dinâmicas da escola, incluindo a alimentação e o refeitório, desde a decoração à escolha das ementas.

A Carta Europeia fala da adoção de medidas "repressivas" contra a obesidade. Quais são e quais as que foram adotadas por Portugal?

Restrições à publicidade e reformulação nutricional que poderá mexer com a composição em termos de gorduras, açúcar, sal e calorias. Existem iniciativas em todas estas áreas em Portugal.

Notícias Magazine, 22 de março de 2009 (adaptado)

2. Segundo o nutricionista João Breda, quais são as mudanças que se têm verificado em relação ao problema da obesidade? Quais são as razões referidas para essas mudanças?

3. Concorda com as opiniões de João Breda? No seu país, a obesidade é considerada como um problema grave? A nível etário, social e geográfico, que grupos são mais afetados por essa situação?

4. A OMS (Organização Mundial de Saúde) estima que, em 2050, mais de metade da população mundial será obesa! Preocupados com este tema, e conscientes da importância de alertar os jovens em relação à importância de desde cedo se optar por estilos de vida saudáveis, um grupo de alunos do 12.° ano do Colégio Salesiano – Oficinas de S. José, de Lisboa, criou e distribuiu este folheto informativo (texto sem atualização ao novo Acordo Ortográfico).

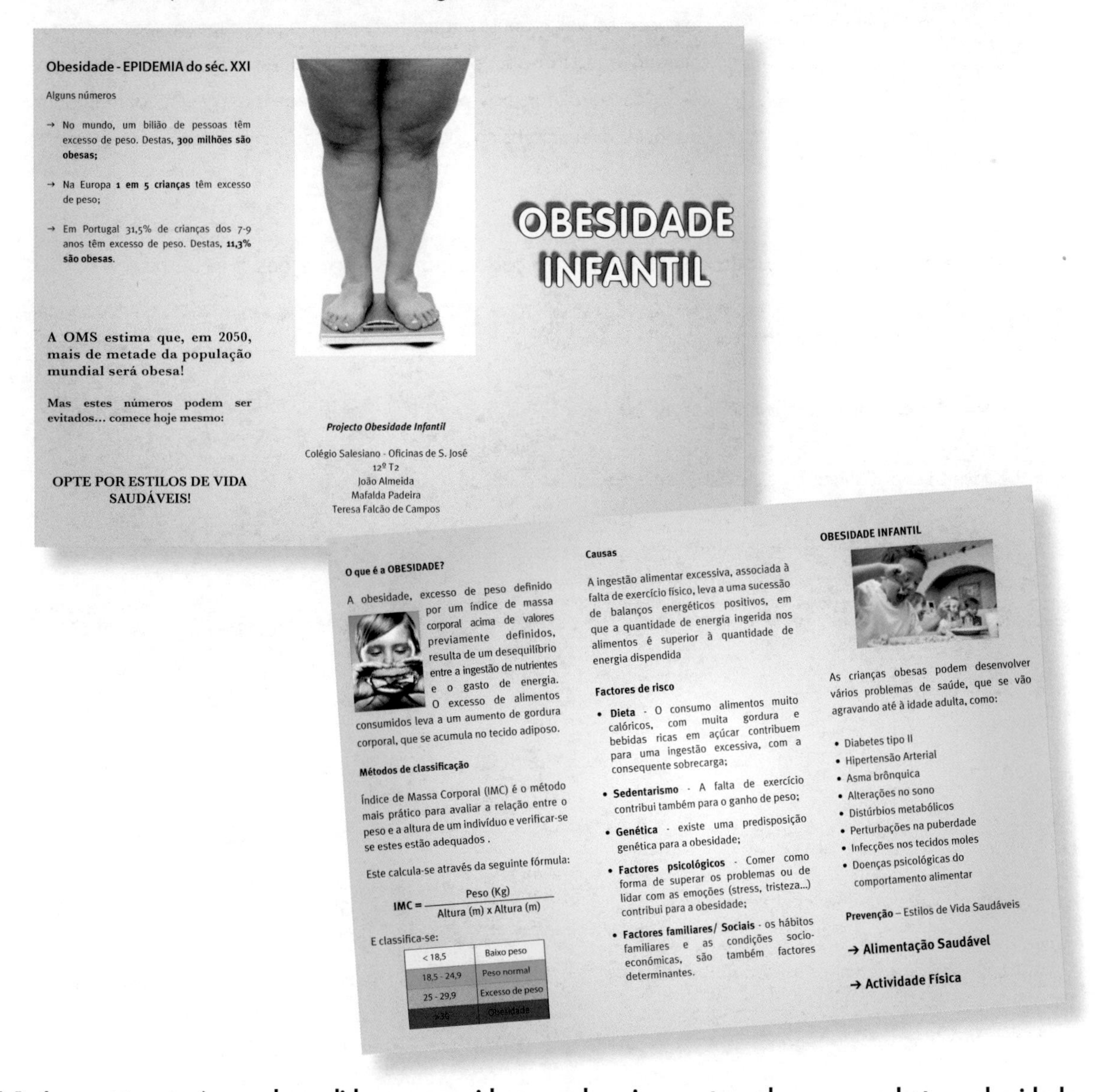

Obesidade - EPIDEMIA do séc. XXI

Alguns números

→ No mundo, um bilião de pessoas têm excesso de peso. Destas, **300 milhões são obesas;**

→ Na Europa **1 em 5 crianças** têm excesso de peso;

→ Em Portugal 31,5% de crianças dos 7-9 anos têm excesso de peso. Destas, **11,3% são obesas**.

A OMS estima que, em 2050, mais de metade da população mundial será obesa!

Mas estes números podem ser evitados... comece hoje mesmo:

OPTE POR ESTILOS DE VIDA SAUDÁVEIS!

OBESIDADE INFANTIL

Projecto Obesidade Infantil

Colégio Salesiano - Oficinas de S. José
12º T2
João Almeida
Mafalda Padeira
Teresa Falcão de Campos

O que é a OBESIDADE?

A obesidade, excesso de peso definido por um índice de massa corporal acima de valores previamente definidos, resulta de um desequilíbrio entre a ingestão de nutrientes e o gasto de energia. O excesso de alimentos consumidos leva a um aumento de gordura corporal, que se acumula no tecido adiposo.

Métodos de classificação

Índice de Massa Corporal (IMC) é o método mais prático para avaliar a relação entre o peso e a altura de um indivíduo e verificar-se se estes estão adequados .

Este calcula-se através da seguinte fórmula:

$$IMC = \frac{Peso\ (Kg)}{Altura\ (m) \times Altura\ (m)}$$

E classifica-se:

< 18,5	Baixo peso
18,5 - 24,9	Peso normal
25 - 29,9	Excesso de peso
>30	Obesidade

Causas

A ingestão alimentar excessiva, associada à falta de exercício físico, leva a uma sucessão de balanços energéticos positivos, em que a quantidade de energia ingerida nos alimentos é superior à quantidade de energia dispendida

Factores de risco

- **Dieta** - O consumo alimentos muito calóricos, com muita gordura e bebidas ricas em açúcar contribuem para uma ingestão excessiva, com a consequente sobrecarga;
- **Sedentarismo** - A falta de exercício contribui também para o ganho de peso;
- **Genética** - existe uma predisposição genética para a obesidade;
- **Factores psicológicos** - Comer como forma de superar os problemas ou de lidar com as emoções (stress, tristeza...) contribui para a obesidade;
- **Factores familiares/ Sociais** - os hábitos familiares e as condições socio-económicas, são também factores determinantes.

OBESIDADE INFANTIL

As crianças obesas podem desenvolver vários problemas de saúde, que se vão agravando até à idade adulta, como:

- Diabetes tipo II
- Hipertensão Arterial
- Asma brônquica
- Alterações no sono
- Distúrbios metabólicos
- Perturbações na puberdade
- Infecções nos tecidos moles
- Doenças psicológicas do comportamento alimentar

Prevenção – Estilos de Vida Saudáveis

→ Alimentação Saudável

→ Actividade Física

4.1. Apresente um número de medidas que considere que deveriam ser tomadas para combater a obesidade no seu país.

II. Estar em forma.

RENASCER DO INVERNO

Com a chegada da primavera e do sol, somos invadidos por uma motivação extra e muitos de nós aplicam esta motivação para melhorar a saúde e a forma física. Quando se pensa que passámos pelo outono e pelo inverno e nos cobrimos de roupa, praticámos pouco exercício, comemos excessivamente no Natal, ingerimos poucas frutas e saladas, achamos que esta é a melhor altura do ano para mudar certos hábitos. Com o aproximar da época estival, o constrangimento surge e a preocupação por conseguir estar em forma torna-se, por vezes, obsessiva. No entanto, bastam alguns cuidados para que nos possamos sentir em forma: uma alimentação saudável, exercício físico regular e uma boa noite de sono!

1. Assinale a resposta adequada ao seu caso para cada uma das afirmações.

Afirmação	SIM	NÃO	ÀS VEZES
1. O meu trabalho obriga-me a estar sentado todo o dia.	☐	☐	☐
2. Ando todos os dias algum tempo a pé.	☐	☐	☐
3. Desloco-me normalmente de carro.	☐	☐	☐
4. Faço exercício físico pelo menos duas vezes por semana.	☐	☐	☐
5. Não tenho tempo para fazer exercício físico.	☐	☐	☐
6. Como muitos doces.	☐	☐	☐
7. Como várias vezes por dia, mas em pequenas quantidades.	☐	☐	☐
8. Como uma grande refeição uma vez por dia.	☐	☐	☐
9. Normalmente não tomo pequeno-almoço.	☐	☐	☐
10. Como saladas, legumes e fruta todos os dias.	☐	☐	☐
11. Sou fumador.	☐	☐	☐
12. Durmo uma média de oito horas por noite.	☐	☐	☐

······>

13. Bebo mais de dois cafés por dia.	SIM ☐	NÃO ☐	ÀS VEZES ☐
14. Quando tenho tempo livre, vejo televisão ou leio um livro.	SIM ☐	NÃO ☐	ÀS VEZES ☐
15. Tento beber 1,5l de água por dia.	SIM ☐	NÃO ☐	ÀS VEZES ☐
16. Raramente uso protetor solar.	SIM ☐	NÃO ☐	ÀS VEZES ☐
17. Tenho uma vida com muito *stress*.	SIM ☐	NÃO ☐	ÀS VEZES ☐

2. Compare as suas respostas com as dos seus colegas e apresente a sua opinião sobre a importância que cada hábito referido pode ter para que uma pessoa se sinta (ou não) em forma.

3. Que outros hábitos de vida considera que contribuem para uma vida saudável?

4. Refira três hábitos (ou vícios) que, na sua opinião, deveria mudar na sua vida para se sentir mais em forma.

5. Leia as seguintes expressões relacionadas com o ato de comer e explique o seu significado. Tente imaginar uma situação para utilização de cada uma delas e escreva uma frase exemplificativa.

1. Ter mais olhos que barriga.	5. Enganar o estômago.
2. Ter a barriga a dar horas.	6. Ser de trás da orelha.
3. Os olhos também comem.	7. Fazer crescer água na boca.
4. Ser um bom garfo.	8. Comer como um abade.

1. ______________________________

2. ______________________________

3. ______________________________

4. ______________________________

5. ______________________________

6. ______________________________

7. ______________________________

8. ______________________________

6. Relacione cada verbo com uma das expressões da coluna da direita.

1. estar	• uma alface
2. fazer	• olho
3. estar fresco como	• na moda
4. torcer	• guloso
5. dormir como	• a volta
6. ser	• fona
7. não pregar	• uma pedra
8. andar numa	• o nariz
9. dar	• dieta

III. A importância de ser otimista.

1. Sabia que é possível cultivar o otimismo e oferecermos a nós próprios uma vida mais longa e feliz? Leia o artigo e saiba porquê.

O otimismo não é um desses métodos de autorealização ou de autoconfiança que por aí proliferam. O otimismo não se consegue com uma (bea)atitude passiva, nem com uma credulidade idiota, nem com uma fé a toda a prova. É mais uma convicção íntima de que "depois da tempestade vem a bonança" e de se preparar para agir. É preciso acreditar que temos em nós os recursos necessários para enfrentar a vida e para a tomar nas mãos, tanto nos bons como nos maus momentos.

"É saber viver o momento, é ver o copo meio cheio em vez de meio vazio". Quando estamos sempre à espera de demasiado da vida, nunca estamos contentes. Só vemos o que os outros têm e não somos capazes de saborear a água do nosso copo...

Viver a vida com otimismo ajuda a viver mais e melhor. Já Voltaire dizia no século XVIII: "Decidi ser feliz porque é melhor para a saúde". Agora está provado que é. Na Universidade de Harvard, a partir dos anos quarenta, e na Clínica Mayo, a partir dos anos sessenta, milhares de americanos foram seguidos durante trinta anos. Verificou-se que os otimistas capitalizavam mais 19 por cento em tempo de vida do que os pessimistas. Este incrível bónus é acompanhado de uma qualidade de vida e de uma saúde claramente melhores.

O otimismo pode mesmo fazer milagres e seria uma injustiça se estivesse reservado apenas a um punhado de eleitos. É necessário que acreditemos que o otimismo não é tanto um dom inato, mas mais uma qualidade que se trabalha. Caso se considere uma pessoa pessimista e nunca tenha tentado cultivar o otimismo, ainda vai a tempo de o fazer.

Notícias Magazine, 22 de fevereiro de 2009 (adaptado)

2. Refira duas atitudes que, segundo o texto, são importantes para encarar a vida com otimismo.

3. Acredita que, de facto, "viver a vida com otimismo ajuda a viver mais e melhor"?

4. Considera-se uma pessoa otimista? Quais são as características da sua personalidade que o levam a considerar-se como tal?

5. Coloque as palavras na coluna que achar adequada, conforme considere que se relacionam mais com otimismo ou pessimismo.

altruísmo	tensão	fé	convicção	egoísmo	passividade
meditação	autoconfiança	egocentrismo	compaixão	angústia	chuva
ansiedade	fatalismo	esperança	depressão	generosidade	sol

6. Explique o significado do provérbio "Depois da tempestade vem a bonança." e refira a sua relação com o tema do texto.

7. Relacione as frases das duas colunas e forme mais provérbios conhecidos. Explique o seu significado.

1. Quem tudo quer	☐ se vai ao longe.
2. Quem espera	☐ não movem moinhos.
3. Quem canta	☐ há esperança.
4. Há males	☐ o que podes fazer hoje.
5. Deus escreve certo	☐ sempre alcança.
6. Águas passadas	☐ e a caravana passa.
7. Os cães ladram	☐ que vêm por bem.
8. Devagar	☐ tudo perde.
9. Não deixes para amanhã	☐ por linhas tortas.
10. Enquanto há vida,	☐ seus males espanta.

8. Seguem-se algumas expressões e provérbios que têm um animal como figura central: o gato. Leia-os e tente explicá-los.

Gato escaldado, de água fria tem medo.

A curiosidade matou o **gato.**

Quem não tem cão, caça com **gato**.

Gato miador não é bom caçador.

Quando está fora o **gato**, folga o rato.

Gato escondido com rabo de fora.

De noite todos os **gatos** são pardos.

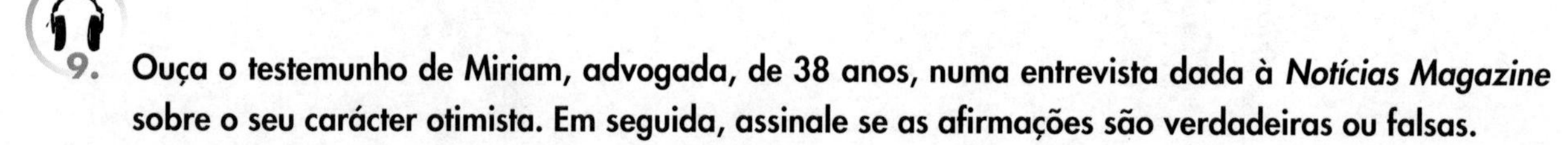

9. Ouça o testemunho de Miriam, advogada, de 38 anos, numa entrevista dada à *Notícias Magazine* sobre o seu carácter otimista. Em seguida, assinale se as afirmações são verdadeiras ou falsas.

1. A Miriam é otimista como o pai.	V ☐	F ☐
2. A Miriam sempre foi uma pessoa otimista e positiva.	V ☐	F ☐
3. Ao longo da vida, e porque é uma otimista por natureza, ela nunca teve de enfrentar o fracasso.	V ☐	F ☐
4. A sua imaginação nem sempre lhe oferece, logo à partida, uma visão muito otimista de uma situação.	V ☐	F ☐
5. Embora seja otimista, a Miriam tenta sempre lutar para que tudo corra bem.	V ☐	F ☐
6. Mesmo perante um problema, a sua primeira reação é encará-lo de forma positiva.	V ☐	F ☐
7. É uma pessoa que se considera otimista, mas tem dificuldade em animar as outras pessoas.	V ☐	F ☐

B. GRAMÁTICA e VOCABULÁRIO

1. Pretérito Perfeito Composto do Conjuntivo

Forma-se com o verbo auxiliar ter no **Presente do Conjuntivo** e o **Particípio Passado** do verbo principal.

ter **Presente do Conjuntivo**	**+**	*verbo principal* **Particípio Passado**

EXEMPLO: *É possível que a esta hora ele já **tenha chegado.***

Utiliza-se nos mesmos casos em que se usa o **Presente do Conjuntivo** para referir:

a) uma ação já realizada em relação ao presente.

EXEMPLO: *Tenho pena que eles não **tenham vindo** à minha festa de anos.*

b) uma ação já realizada em relação ao futuro.

EXEMPLO: *Espero que quando eu chegar a casa ele já **tenha feito** o jantar.*

1.1. Complete as frases com os verbos no Pretérito Perfeito Composto do Conjuntivo.

1. Talvez amanhã por esta hora elas já ______________ (chegar) do Brasil.
2. Embora ela ______________ (sair) cedo de casa, ainda não chegou ao escritório.
3. É provável que o médico lhe ______________ (dizer) para fazer uma dieta.
4. Oxalá o Miguel ______________ (passar) no exame de condução.
5. Duvido que eles já ______________ (ver) este filme.
6. Lamento que vocês não ______________ (gostar) do restaurante.
7. É necessário que até ao fim da semana nós já ______________ (decidir) para onde vamos nas férias.
8. Não acredito que eles lhe ______________ (propor) um salário mais alto.
9. Caso ela já ______________ (fazer) o almoço, vamos ao restaurante noutro dia.
10. Caso já ______________ (terminar) o exercício, podem sair.

1.2. Complete as frases com os verbos no Presente do Conjuntivo ou no Pretérito Perfeito Composto do Conjuntivo.

1. Embora ______________ (comer) pouco, estou completamente cheio.
2. Por muito que lhe ______________ (dizer), ele recusa-se a comer mais legumes.

······>

3. Tenho a certeza que ela vem à tua festa, desde que não ______________ (ter) nenhum compromisso importante.
4. Não podes ter uma opinião sem que antes ______________ (ver) o filme.
5. Envio-te um *sms*, assim que ______________ (sair) do metro.
6. Envio-te um *sms*, caso ______________ (precisar) que me venhas buscar.
7. Mesmo que te ______________ (apetecer), deves evitar comes doces à sobremesa.
8. Ainda que eu o ______________ (convidar) com bastante antecedência, ele não pode vir connosco.
9. Tenho pena que vocês não ______________ (vir) à inauguração. Foi muito giro.
10. Lamento que vocês não ______________ (poder) ir à inauguração. Vai ser muito giro.
11. Quero fazer uma sobremesa que eles nunca ______________ (provar).
12. Embora ele ______________ (ter) alguns problemas na vida, é uma pessoa muito positiva e bem--disposta.

2. ***Ser* ou *estar*? Qual é o verbo que se utiliza em cada uma destas expressões? Nos casos em que ambos podem ser utilizados, faça uma frase exemplificativa para cada um.**

1. ______________ egoísta ______________________________
2. ______________ molhado ______________________________
3. ______________ contente ______________________________
4. ______________ mentira ______________________________
5. ______________ tenro ______________________________
6. ______________ picante ______________________________
7. ______________ quente ______________________________
8. ______________ verde ______________________________
9. ______________ fresco ______________________________
10. ______________ gordo ______________________________
11. ______________ pessimista ______________________________
12. ______________ pontual ______________________________
13. ______________ bem ______________________________
14. ______________ acordado ______________________________

3. Complete o texto com as palavras que se encontram dentro do quadro.

vale	tomar	precoce	eventuais
aparecimento	de	tornando-se	obter
admirável	alterar	impedindo	risco
natural	a	oferece	metodologias

TESTES GENÉTICOS

O que fomos, o que somos, o que seremos. No __________ mundo da genética médica fazem-se diagnósticos __________ doenças que temos, identificam-se outras que vamos desenvolver, calcula-se o __________ familiar. Uma informação que __________ a pena ter porque também se __________ aos doentes a possibilidade de __________ o curso __________ das doenças, retardando-as ou mesmo __________ a sua manifestação. Hoje temos __________ que nos permitem estudar o ADN de uma pessoa e __________ alterações, __________ possível __________ informação sobre o risco de vir __________ desenvolver determinadas afeções, podendo o médico orientar o doente antes do __________ de problemas e __________ medidas de vigilância, preventivas ou de tratamento __________.

Notícias Magazine, 28 de junho de 2009

4. Explique o significado das seguintes palavras homófonas. Faça uma frase com cada uma.

1. conserto ____________________
   concerto ____________________
2. conselho ____________________
   concelho ____________________
3. coser ____________________
   cozer ____________________
4. acento ____________________
   assento ____________________
5. cinto ____________________
   sinto ____________________
6. área ____________________
   ária ____________________
7. cela ____________________
   sela ____________________

······>

8. nós ______________________________

noz ______________________________

9. vês ______________________________

vez ______________________________

5. Complete o texto com preposições, contraindo-as quando for necessário.

NATAL ABRE PORTAS ___ OS MAIORES ERROS ALIMENTARES

As refeições natalícias são fartas _____ açúcares e gorduras. "Um dia não são dias" – esta é uma expressão comum, quase sempre acompanhada _____ um sorriso, em frente _____ a farta mesa de Natal. E, de facto, se a ceia de Natal fosse um pontual abuso gastronómico, os danos _____ a saúde não seriam tão elevados. O problema é que após a consoada, _____ a véspera, vem o almoço de Natal e um sem-número _____ dias _____ comer os restos.

_____ muitas famílias, o Natal é uma época _____ excessos _____ nível alimentar, _____ que aquilo que ingerimos não corresponde _____ a energia que vamos despender. Não é preciso abdicar _____ a tradição _____ melhorar a nossa dieta natalícia. Existem receitas deliciosas que mostram que é possível manter o sabor _____ os alimentos, abolindo o excesso de gorduras e açúcares. Quanto _____ as sobremesas, nada melhor do que optar _____ frutas e _____ levar poucos doces _____ a mesa.

Diário de Notícias, 14 de dezembro de 2009

6. Complete o quadro.

VERBO	SUBSTANTIVO
ressentir-se	
	a ingestão
	a opção
excluir	
sorrir	
abundar	
	a adopção
intervir	
	a restrição
abastecer	
	o acesso
recorrer	
	a ansiedade

C. ORTOGRAFIA e PRONÚNCIA

1. Complete as palavras com r ou rr. Em seguida, ouça as palavras para confirmar o som.

R [R]	ou	RR [R]

i___egular	a___ependimento	a___iscado	co___oer
en___iquecer	i___acional	desen___ascado	aga___ar
bo___cha	Hen___ique	hon___a	a___endar
des___espeitar	a___epio	i___esponsável	i___eal
ten___o	a___eliar	en___aizado	gen___o

2. Complete as palavras com s, ss, c ou ç. Em seguida, ouça as palavras para confirmar o som.

S [s]	ou	SS [s]	ou	C [s]	ou	Ç [s]

ama___ar	re___onar	ex___esso
cansa___o	deten___ão	ace___ível
dan___a	ca___ar	sa___iar
descan___o	progre___ão	obse___iva
so___egado	trai___ão	repre___ivo
excur___ão	depre___ão	recur___o
an___iar	exten___ão	defen___or
exce___ivo	alcan___ar	te___ido
man___o	terra___o	esca___o
in___ulto	en___onado	despen___a
impren___a	reten___ão	re___entimento

D. PRODUÇÃO ESCRITA

Recebeu um *e-mail* de um amigo que está muito desanimado porque foi despedido e não encontra trabalho. Como ele é muito pessimista por natureza, está a precisar de algumas palavras que o animem. Mostre o seu carácter otimista e escreva-lhe um *e-mail* a animá-lo (100 a 120 palavras), mostrando-lhe que tudo tem solução. Proponha-lhe uma saída para o próximo fim de semana para que ele se possa divertir um pouco.

E. TAREFA

1. Elabore, individualmente, ou em grupo, um folheto ilustrado dirigido aos jovens, com conselhos úteis para a adoção de um estilo de vida saudável.

ou

2. Apresente aos seus colegas como funciona o sistema de saúde do seu país.

ou

3. Prepare uma apresentação sobre a gastronomia do seu país, não esquecendo de referir as diferenças regionais. Pode enriquecer a sua apresentação com imagens.

MEIO AMBIENTE

UNIDADE 4

A. TEXTOS, CONTEXTOS e PRETEXTOS

I. Planeta em perigo.

1. Leia com atenção estes títulos e inícios de notícias.

GLACIARES SUÍÇOS PERDERAM 13% DA MASSA DESDE 1999

Clima. Alterações climáticas estão a ter forte impacto nas montanhas europeias.

Diário de Notícias, 21 de dezembro de 2008

IMPACTOS IMPREVISÍVEIS DAS ALTERAÇÕES CLIMÁTICAS

Cientistas traçaram vários cenários sobre as consequências das alterações climáticas no País. Ficaremos mais expostos a fenómenos extremos e vamos sofrer mais secas, fogos e ondas de calor.

Diário de Notícias, 2 de dezembro de 2007

QUALQUER COISA NO AR

Milhares de europeus morrem todos os anos devido à poluição do ar.

Seleções Reader's Digest, junho de 2009

NATUREZA ARRASA ÁSIA E PACÍFICO

Depois de sismos e *tsunamis*, chega o super-tufão.

Metro, 2 de outubro de 2009

Sting e Príncipe Carlos unem esforços em campanha para salvar florestas. Mensagem SOS numa campanha ecológica.

Destak, 2 de outubro de 2009

FOME. Em meados deste século a alimentação de uma boa parte da população mundial estará em causa devido aos efeitos na agricultura das alterações climáticas.
Mudanças climáticas vão provocar crise alimentar. Temperaturas extremas de agora serão normais no fim do século.

Diário de Notícias, 18 de janeiro de 2009

SOPA DE PLÁSTICO

Três milhões de toneladas de lixo no Mar Mediterrâneo.

http://sic.sapo.pt/online

NF3: NOVA AMEAÇA NO EFEITO DE ESTUFA

Trifluoreto de azoto (NF3), é o nome do gás com um elevado teor de efeito estufa. Houve grande surpresa ao descobrir-se que este gás é quatro vezes mais abundante na atmosfera do que inicialmente se pensaria.

http://ambiente.kazulo.pt

DEGELO

UM TEMA QUENTE

Pinguins e ursos são espécies ameaçadas.

Certa, maio de 2007

A MÃO DO HOMEM

Males que vêm pelo ar e pela água.
Aumento das doenças respiratórias e cardiovasculares e da mortalidade precoce.

Notícias Magazine, 4 de janeiro de 2009

1.1. **Qual lhe parece ser o ponto comum entre estes títulos e inícios de notícias?**

1.2. **Todos eles apresentam vários problemas e, por vezes, também as suas consequências. Complete o quadro de acordo com a informação lida.**

PROBLEMAS / CAUSAS	CONSEQUÊNCIAS
alterações climáticas	
	maior mortalidade
	espécies animais em perigo

1.3. **Perante a ocorrência de notícias deste género, que tipo de reação e de sentimentos costuma ter? E os que o rodeiam? Porquê?**

preocupação	indiferença	angústia
surpresa	revolta	naturalidade
incredulidade	mudança de hábitos	voluntariado
apoio humanitário	recusa de mais informação	solidariedade

Partilhe com os seus colegas o que costuma sentir e/ou fazer.
Utilize algumas das expressões e construções que a seguir se apresentam.

FREQUÊNCIA	EXPRESSÃO DE SENTIMENTOS
Normalmente...	Sinto-me.../ Não me sinto...
Regra geral...	Fico.../ Não fico...
Na maior parte das vezes...	Interesso-me.../ Não me interesso...
Por vezes... / Às vezes...	Incomoda-me (que)... / Não me incomoda (que)...
(Não) Tenho por hábito...	Aflige-me (que)... / Não me aflige (que)...
(Não) Costumo...	Não suporto (que)...
Raramente...	É-me indiferente (que)...

2. Faça corresponder o nome de cada um dos fenómenos meteorológicos à sua definição.

1. Vibração brusca e passageira da superfície da Terra, resultante de movimentos subterrâneos de placas rochosas, de atividade vulcânica ou de deslocamentos de gases no interior da Terra.	☐	avalancha
2. Onda ou uma série de ondas gigantescas e violentas que ocorrem após perturbações abruptas, como, por exemplo, um sismo.	☐	vaga de calor/de frio
3. Resultado de uma grande tempestade ou de chuvas intensas e prolongadas em que a água não é suficientemente absorvida pelo solo e por outras formas de escoamento.	☐	terramoto/sismo
4. Pequeno, porém intenso, redemoinho de vento, formado durante tempestades.	☐	seca
5. Massa acumulada de neve que se movimenta de forma rápida e violenta e se precipita em direção ao vale.	☐	*tsunami*
6. Insuficiência de chuva numa determinada região por um período de tempo muito grande.	☐	tornado
7. Alterações da temperatura para valores fora do comum, tanto muito altos como muito baixos.	☐	inundação

3. De acordo com alguns investigadores, o aumento do número de catástrofes naturais e da sua intensidade estão, em parte, relacionados com as alterações climáticas.

3.1. Portugal tem um clima temperado e, apesar das alterações ocorridas nos últimos anos, não regista ainda muitos fenómenos meteorológicos extremos.

E no seu país, o clima também se tem vindo a alterar? É frequente a ocorrência de fenómenos extremos (secas, incêndios, inundações, nevões, tufões...)? Já vivenciou alguma experiência dessas? Partilhe com os seus colegas.

NÚMERO DE MORTES NO MUNDO POR CATÁSTROFES RELACIONADAS COM O CLIMA, 2000-2005

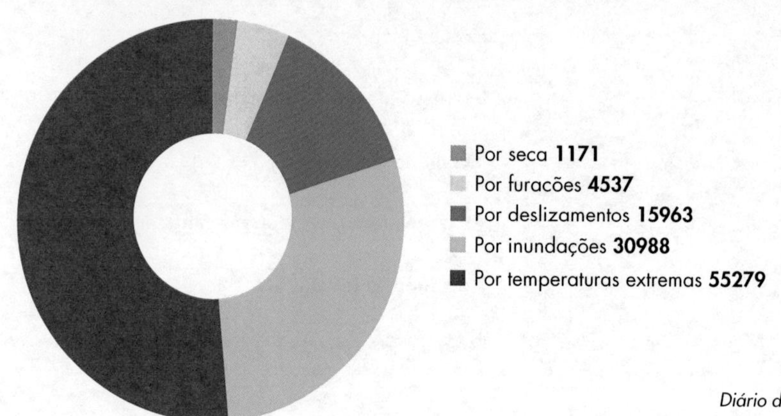

Diário de Notícias, 6 de dezembro de 2009

3.2. Ouça esta notícia radiofónica que surge na sequência de uma grave catástrofe natural e responda.

1. De que catástrofe se trata e onde ocorreu?

2. Qual a missão que está a ser preparada?

3. Quem lançou a campanha de angariação de fundos em Portugal?

4. De que forma podem os portugueses contribuir?

5. Qual é o *slogan* que apela ao contributo dos portugueses?

6. Quem é Fernando Nobre?

7. Porque é que, de início, só vão dois médicos?

8. Portugal já sabe exatamente como vai prestar o seu apoio? Porquê?

4. Um pouco de História...

Leia o texto.

TERRAMOTO DE 1755

O Terramoto de 1755, também conhecido por Terramoto de Lisboa, ocorreu no dia 1 de novembro de 1755 às 9h20 da manhã, resultando na destruição quase completa da cidade de Lisboa, e atingindo ainda grande parte do litoral do Algarve. O sismo foi seguido de um *tsunami* – que se crê que terá atingido a altura de 20 metros – e de múltiplos incêndios. Foi um dos sismos mais mortíferos da História, marcando o que alguns historiadores chamam a pré-história da Europa Moderna. Os geólogos modernos estimam que o Sismo de 1755 atingiu 9 graus na escala Richter. O Terramoto de Lisboa teve um enorme impacto político e socioeconómico na sociedade portuguesa do século XVIII, dando origem aos primeiros estudos científicos do efeito de um terramoto numa área alargada, marcando assim o nascimento da moderna sismologia.

......>

10 O epicentro não é conhecido com exatidão, havendo diversos sismólogos que propõem locais distanciados de centenas de quilómetros. No entanto, todos convergem para um epicentro no mar, entre 150 a 500 km a sudoeste de Lisboa.

Relatos da época afirmam que os abalos foram sentidos, consoante o local, entre 6 minutos e 2 horas e meia, causando fissuras gigantescas de 5 metros que cortaram o centro da cidade de Lisboa.

15 Lisboa não foi a única cidade portuguesa afetada pela catástrofe. Todo o Sul de Portugal, nomeadamente o Algarve, foi atingido e a destruição foi generalizada. As ondas de choque do sismo foram sentidas por toda a Europa e Norte de África.

De uma população de 275 mil habitantes em Lisboa, crê-se que 90 mil morreram. Outros 10 mil foram vitimados em Marrocos. Cerca de 85% das construções de Lisboa foram destruídas, incluindo palácios

20 famosos, bibliotecas, conventos, igrejas e hospitais. Algumas das construções que sofreram poucos danos com o terramoto foram destruídas pelo fogo que se seguiu ao abalo sísmico.

http://pt.wikipedia.org/wiki/Sismo_de_Lisboa_de_1755

4.1. Em conjunto com os seus colegas, encontre no texto frases que contenham informação idêntica às que a seguir se apresentam.

1. O Terramoto de 1755 arrasou praticamente a capital portuguesa.	☐
2. Para além de Lisboa, outras regiões de Portugal foram gravemente afetadas pelo terramoto.	☐
3. Calcula-se que as ondas provocadas pelo sismo eram altíssimas.	☐
4. Segundo os especialistas, a magnitude do terramoto atingiu quase o máximo da escala utilizada pelos sismólogos.	☐
5. O sismo foi de tal modo intenso que atingiu também outros países.	☐
6. Não se sabe com precisão o ponto de origem do sismo, mas os estudiosos localizam-no no mar.	☐
7. A enorme destruição provocada pelo terramoto teve consequências a nível político, social e económico.	☐
8. Existem testemunhos daquela altura que revelam a duração do estremecimento da terra.	☐
9. Mais de metade dos edifícios da capital ruíram.	☐
10. Também os incêndios que depois deflagraram contribuíram para a destruição da cidade.	☐

4.2. Complete o texto com as formas verbais que lhe foram retiradas.

incendiou-se	aconteceu	levaram	afogaram-se	sentiu	houve
sobreviveram	provocou	ficaram	pararam	afundou-se	abriram-se
ajudaram	tentaram	havia	estava	tinham acordado	tivessem deixado
ruir	fugir	cair	recolher	rodopiar	arrastar

A maior catástrofe natural que alguma vez ________________ em Portugal foi o Terramoto de Lisboa de 1755. Apesar de ter sido em Lisboa, o tremor de terra foi tão forte que ________________ estragos em todo o país e sentiu-se até ao Sul de França e ao Norte de África!

Como era Dia de Todos os Santos, as pessoas ________________ muito cedo para irem à missa. Como era dia de guarda (como se chamava dantes aos feriados religiosos), ________________ muitas velas acesas nas casas e nos altares das igrejas. Além disso, o dia ________________ muito frio, o que fez com que as pessoas ________________ as lareiras acesas em casa.

Eram cerca das 9h45 da manhã, quando se ________________ um abalo de terra muito violento. Em toda a cidade de Lisboa começaram a ________________ casas e prédios e a ________________ pedras para a rua. Muitas pessoas ________________ soterradas nas igrejas onde estavam a assistir à missa. O cais da cidade ________________ completamente e a água do rio Tejo começou a avançar para a cidade. Além do terramoto em terra, sentia-se o maremoto no mar e no rio. Os barcos que estavam no rio começaram a ________________ e a afundar-se a pique. ________________ falhas na terra...

Passado algum tempo, ________________ um segundo abalo muito violento. A cidade ________________.
As velas e as lareiras que tinham sido deixadas acesas ________________ as chamas a crescer ainda mais. As pessoas que ________________ rezavam nas ruas, cobertas de pó. Durante horas, os abalos não pararam, embora já fossem mais fracos do que os primeiros.

Em Lisboa, a Baixa estava praticamente destruída. Milhares de pessoas desceram até ao Terreiro do Paço para tentarem ________________ dos incêndios e da queda de paredes e pedras. ________________ todos os pertences que puderam e ________________ apanhar um dos barcos que estavam a ________________ pessoas. Mas as ondas do rio estavam tão altas que acabaram por ________________ os barcos e muitas pessoas ________________. Durante três dias, os abalos e os incêndios não ________________!

http://www.junior.te.pt

II. O planeta nas nossas mãos.

IDEIAS LUMINOSAS QUE PREJUDICARAM O PLANETA

Produtos descartáveis. Criados para facilitar a vida ao ser humano, têm no reverso da medalha o maior problema: são deitados fora facilmente, o que contribui muito para o aumento do lixo no planeta. Produzimos 1300 milhões de toneladas de lixo por ano.

1868 dois irmãos inventam a celulóide que vem substituir a madeira, o metal e o linho

1895 K. Gillette cria as lâminas de barbear descartáveis

1907 o papel absorvente é inventado por acidente

1908 os copos de papel substituem as canecas de estanho nos comboios e edifícios públicos

1914 a Kellogg´s usa o papel encerado para embalar os Corn Flakes

1924 o Kleenex é introduzido no mercado

1929 o alumínio é cortado em folhas para embalar alimentos

1943 a lata de aerossol é lançada no mercado

1945 é vendida a primeira esferográfica americana

1949 as fraldas descartáveis são postas à venda nos EUA (450 anos até se decomporem)

1957 o polietileno de alta densidade é usado nos pacotes de leite

1959 a Xerox lança no mercado a primeira fotocopiadora

1960 o pão passa a ser embalado em polietileno

1963 latas de alumínio são desenvolvidas para conterem bebidas (500 anos a decompor-se)

1977 o polietileno tereftalato substitui o vidro nas garrafas (100 a 1000 anos a decompor-se)

1980 o polipropileno é usado nas embalagens de manteiga

1986 câmaras fotográficas descartáveis postas à venda pela Fujifilm

1999 é patenteado o telemóvel descartável de uso limitado

Diário de Notícias, 21 de dezembro de 2008 (adaptado)

1. **Relativamente aos produtos referidos, explique de que maneira é que eles facilitam a vida ao ser humano.**

2. **É capaz de imaginar a sua vida sem alguns desses produtos? Quais seria capaz de eliminar? Como faria depois? O que utilizaria em sua substituição?**

3. **Em conjunto com os seus colegas, faça uma lista de outros produtos descartáveis usados no dia a dia e que poderiam ser substituídos por outros de utilização mais duradoura?**

4. **A quantidade de lixo e o nível de poluição produzidos estão relacionados com o nível de desenvolvimento económico de uma nação. Leia estes dois pequenos apontamentos.**

Um relatório de 1998 sobre consumo mundial do Programa das Nações Unidas para o Desenvolvimento já alertava para o facto de apenas 20% da população mundial ser responsável por 86% do lixo produzido.

O ambientalista Alan Durning dividiu o mundo em três grupos de consumo de acordo com o impacto ambiental produzido por cada um. No topo da pirâmide estão mil milhões de pessoas que andam de carro e avião, gastam muitos produtos descartáveis e consomem muita comida embalada. A meio está a parcela de 3 milhões de pessoas que usam os transportes públicos ou a bicicleta, alimentam-se de maneira simples e consomem produtos locais. No fim, está uma pequena parcela de mil milhões de pessoas que andam a pé, têm baixa qualidade de vida e vivem com uma dieta de grãos e água não potável.

Diário de Notícias, 21 de dezembro de 2008

4.1. **O que é, para si, qualidade de vida?**

4.2. **Considerando a pirâmide estabelecida por Alan Durning, o que pensa do *slogan* ecologista "justiça climática"?**

4.3. E você, preocupa-se com a sua pegada ecológica? Que cuidados tem no dia a dia para diminuir o impacto que deixa no planeta?

DOMÍNIOS	CUIDADOS
Consumo energético (iluminação, aquecimento, eletrodomésticos, aparelhagens...)	
Consumo de água (higiene pessoal, lavagem de roupa, louça, carro...)	
Transportes (deslocações diárias, viagens...)	
Consumo de bens (tipo de embalagens, origem e tipo de produtos...)	
Destino do lixo que produz (compostagem doméstica do lixo orgânico, separação do lixo para reciclagem...)	
Outros...	

III. Iniciativas verdes e sustentabilidade.

1. **Leia e depois responda às questões.**

MUDANÇAS CLIMÁTICAS PERTURBAM PORTUGUESES

28 de outubro de 2008

Havas Media apresentou um estudo internacional onde consta a preocupação dos portugueses face às mudanças climáticas – «A perceção do consumidor sobre as alterações climáticas e o seu impacto na vida das empresas e das marcas».

O objetivo passa por implantar melhor o «*marketing* verde» e todas as suas potencialidades, sendo que os portugueses demonstram pensar que as marcas terão de intervir diretamente para melhorar o ambiente. A investigação foi realizada em dez países, realizando-se doze mil e seiscentas entrevistas a mais de duzentas marcas envolvidas. Os portugueses, em comparação aos restantes países, apontam o maior índice de preocupação face a estas mudanças: 87 por cento afirmam mesmo estarem atentos e receosos quanto ao aquecimento global; 93 por cento preferem comprar produtos das «empresas verdes» e 98 por cento dos portugueses têm a preferência por produtos que não sejam nocivos para o ambiente.

A Água do Luso e Continente são as marcas que mais se destacam no panorama nacional pela positiva, quanto às suas características amigas do ambiente. O sector que melhor se apresenta face ao ambiente é o dos bens de consumo e o do retalho, ao invés da indústria petrolífera e aviação, que demonstram ser a área menos «verde» em Portugal.

http://ambiente.kazulo.pt

1.1. Compare a preocupação dos portugueses com o que se verifica no seu país.

1.2. Dê a sua opinião sobre o "*marketing* verde" e a responsabilidade das marcas para um futuro mais limpo.

2. **Leia e explique o que pensa da eficácia das seguintes iniciativas de cariz social e ambiental. Depois, dê exemplos de outras de que tenha conhecimento.**

PORTUGAL AJUDA GOVERNO DE CABO VERDE

O Governo português vai financiar a construção de três barragens para a retenção de águas pluviais em Cabo Verde, no âmbito de um pacote financeiro de 100 milhões de euros, adiantou fonte do Ministério do Ambiente cabo-verdiano. O pacote financeiro prevê ainda o desenvolvimento de projetos nas áreas das energias renováveis.

Diário de Notícias,
16 de agosto de 2009

ZERO EMISSÕES: UMA REALIDADE

A Renault vai comercializar, a nível mundial e em larga escala, uma gama de veículos elétricos a um custo acessível. Entre 2011 e 2012, quatro modelos vão estar disponíveis e a Renault pretende assumir a liderança a nível mundial do veículo zero emissões.

http://www.renault-ze.com/pt

SUSTENTABILIDADE É AJUDAR QUEM MAIS PRECISA

A preocupação social e ecológica da Worten traduz-se em ações que visam promover a proteção do ambiente e a melhoria das condições de vida das populações. Basta entregar o equipamento elétrico e eletrónico já sem uso nas zonas de serviço pós-venda da Worten. Além de contribuir para a reciclagem e melhorar o ambiente, por cada tonelada entregue pelos clientes a Worten oferece 50 euros em equipamentos novos para instituições sociais.

http://www.ambienteonline.pt

AMI RECOLHE ÓLEO USADO

Quem aderir a esta iniciativa está a ajudar a AMI a lutar contra a exclusão social em Portugal (cada litro de óleo será reconvertido num donativo para esse fim). Com este projeto, a AMI pretende também sensibilizar a população para a contaminação das águas residuais, que acontece quando o óleo é despejado na rede pública de esgotos ou depositado em aterro, e passar a mensagem de que a solução para esse problema passa por transformar o óleo em biodiesel.

Notícias Magazine,
30 de novembro de 2008

CONTINENTE E A RECICLAGEM DE ROLHAS

O projeto Rolhinhas foi desenvolvido pelo Continente em parceria com a Quercus. Desde junho de 2008, está disponível em todas as suas lojas um ponto de recolha, onde se pode depositar as rolhas de cortiça usadas que, de outro modo, seriam desperdiçadas no lixo normal. O reaproveitamento da cortiça permitirá desenvolver novos produtos, cuja venda permitirá à Quercus criar novos espaços verdes, através da plantação de carvalhos, azinheiras e sobreiros pelo país, no âmbito do programa "Criar bosques, conservar a biodiversidade".

Seleções Reader´s Digest,
junho de 2009

SAPATOS INTELIGENTES

A Nike juntou-se ao jogador americano de basquetebol e ambientalista Steve Nash para criar um sapato inteiramente feito de desperdícios de fábrica. O sapato de treino *Trash Talk* é feito de pedaços de pele e lixo sintético aproveitados do chão. A parte de cima do sapato é então acoplada a excedentes de espuma e borracha que acabariam normalmente no caixote de lixo. O resultado é um perfeito par de velhos sapatos novos.

Seleções Reader´s Digest,
junho de 2009

CONDOMÍNIO DA TERRA

Gaia vai debater uma proposta inédita: ordenar o planeta como se fôssemos condóminos, com direitos e deveres. Tal como acontece num prédio, o planeta tem partes comuns que são imprescindíveis à vida humana – atmosfera, hidrosfera e biodiversidade. O condomínio da Terra assenta na perspetiva de que todos somos vizinhos e todos devemos ser responsabilizados pela manutenção urgente do planeta. Para o condomínio global, falta um gestor. "Terá de ser uma organização como a ONU a gerir o condomínio global". Há a necessidade de separar e organizar o que são partes comuns e partes individuais, para que os interesses distintos, em muitos casos opostos, se conciliem.

i, 30 de junho de 2009

B. GRAMÁTICA e VOCABULÁRIO

1. **A palavra ar, no seu sentido literal, refere-se ao espaço atmosférico acima do solo. No entanto, é também utilizada em muitas expressões em que adquire um sentido diferente.**

1.1. **Tente descobrir o significado de algumas dessas expressões, relacionando os elementos das duas colunas.**

1. não viver do ar	☐ ambiente de tensão, com conflitos latentes
2. andar com/ter a cabeça no ar	☐ mudar de ambiente, de local, de região
3. virar de pernas para o ar	☐ fracassar, perder-se, frustrar-se qualquer coisa
4. pôr as antenas no ar	☐ explodir
5. ter/estar com ar de poucos amigos	☐ perceber rapidamente a partir de sinais pouco claros
6. fazer castelos no ar	☐ ser uma pessoa distraída
7. dar-se ares de	☐ projetos pouco sólidos, sonhos, fantasias
8. apanhar no ar	☐ interessar-se e tentar ouvir/perceber aquilo que está a ser dito
9. ser um ar que dá	☐ desarrumar completamente, geralmente para procurar alguma coisa
10. ir pelos ares	☐ precisar de trabalhar para ganhar o sustento
11. mudar de ares	☐ cara ou expressão de mau humor, sisudo
12. ir ao ar	☐ mostrar aparência de alguma coisa
13. estar um ar pesado	☐ desaparecer

1.2. **Escolha três dessas expressões e escreva três frases com elas.**

EXEMPLO: *Quando o Pedro percebeu que tinha sido apanhado na sua mentira,* ***foi um ar que lhe deu****!* *Ninguém o voltou a ver durante essa semana…*

1. ______________________________

2. ______________________________

3. ______________________________

2. De acordo com o sentido das frases, escolha o adjetivo adequado para as completar. Não se esqueça de fazer a concordância em género e número, se necessário.

global	meteorológico	humano	insuficiente	solar	poluidor
ambiental	químico	industrial	poluente	energético	tropical
térmico	ambientalista	emissor	atmosférico	alternativo	

1. Na cimeira de Copenhaga, concluiu-se sobre a necessidade de uma verdadeira política ________ para que se reduzam as emissões ________ em cerca de 20% relativamente aos níveis de 2000.
2. A associação ________ Quercus alertou que "as últimas semanas em termos meteorológicos em Portugal são sinais ou sintomas de uma alteração climática caracterizada por eventos ________ extremos".
3. As emissões de gases de efeito de estufa para a atmosfera têm origens diversas, incluindo as atividades ________ e agrícolas, que fornecem os mais variados bens de consumo, as centrais ________, que produzem eletricidade, os carros e os aviões, que nos permitem deslocações rápidas e confortáveis.
4. A recente vaga de tempestades ________ originou novos debates sobre os efeitos do aquecimento ________.
5. Um astronauta canadiano a bordo da Estação Espacial Internacional identificou marcas da destruição ________ no planeta Terra.
6. De acordo com as conclusões de um relatório da organização ambientalista *Greenpeace*, no âmbito da campanha «Recuperemos o Mediterrâneo», as limpezas nas praias têm-se revelado ________, pois o lixo continua a acumular-se.
7. O ozono forma-se quando a luz ________ provoca uma reação ________ entre os nitratos e os compostos orgânicos voláteis, resultando num nevoeiro de verão com fumo, uma forma de poluição ________ comum nas áreas urbanas.
8. As Câmaras Municipais de Torres Vedras e Peniche apresentaram um programa de incentivo às formas ________ de energia que aproveitam as quantidades de sol existentes na região. A ideia é que as pessoas instalem mais painéis solares ________.
9. A hierarquia dos grandes ________ mundiais segue, em traços gerais, a lógica do poderio económico global. Os dez primeiros países ________ de CO_2 pertencem todos ao G20, o grupo das 20 nações economicamente mais importantes do planeta.

3. Complete a notícia que se segue, utilizando preposições e contraindo-as quando necessário.

METAS CONFIRMADAS POR MAIS DE 50 PAÍSES

Para a ONU, é ainda preciso fazer mais e ser-se ambicioso ________ lidar com o problema da poluição.
O prazo estabelecido ________ acordo de Copenhaga – 31 de janeiro – já chegou ao fim e 55 países, responsáveis ________ 78% das emissões ________ gases ________ efeito de estufa,

......>

não falharam e confirmaram os seus objetivos ________ reduzir os maiores culpados ________ alterações climáticas, avançaram ontem as Nações Unidas.

Para Yvo de Boer, o representante ________ ONU, esta confirmação é vista como "sinal claro da disposição para levar as negociações adiante, rumo ________ uma conclusão de sucesso". No entanto, e tendo em conta as dimensões ________ problema, será necessário, avança ainda a mesma fonte, "mais ambição" e mais trabalho.

China e Estados Unidos, duas das nações mais poluidoras, estão ________ as que já avançaram ________ as metas traçadas para os próximos anos, que tinham sido anunciadas ________ dezembro.

DESILUSÃO EM FORMA DE ACORDO

Muitas foram as expectativas criadas ________ volta da reunião na Dinamarca, que acabou por se tornar uma desilusão, já que não foi capaz de estabelecer os limites à poluição, que tantos exigiam. ________ vez disso, ficou-se pelo acordo de que as temperaturas do planeta não podem aumentar mais do que dois graus centígrados ________ 2020.

Destak, 3 de fevereiro de 2010

4. Utilize as preposições (e contrações) adequadas para completar as frases.

1. Há cada vez mais pessoas que fogem ______ cidade para terem uma vida mais saudável no campo.
2. Devido à poluição atmosférica, muitos cidadãos ficam ______ problemas respiratórios bastante graves.
3. Muitas das reuniões que se fazem por causa das alterações climáticas ficam-se ______ medidas insuficientes por ausência de consenso entre os participantes e acabam ______ não ter qualquer tipo de eficácia.
4. Se todos nós tivermos ______ conta que há pequenos gestos que estão ao nosso alcance no dia a dia, a pegada ecológica que deixamos no planeta diminuirá.
5. Os habitantes da Guarda estão preocupados ______ o nevão absolutamente fora do normal que se faz sentir há dois dias e que levou ______ corte das principais estradas que fazem ligação à cidade. Esperam ansiosamente ______ fim do nevão para pegarem ______ seus carros e retomarem a vida com toda a normalidade.

······>

6. Chegou-se ________ temer o pior do rigor meteorológico que assolou Santarém com enormes inundações, mas agora as pessoas tratam já ________ reorganizar as suas vidas e passam ________ aflição à ação.
7. Chegaram ________ EUA os resultados das suas últimas investigações sobre o degelo nos polos e que permitem chegar ________ conclusão de que as previsões anteriores estavam corretíssimas.

5. Infinitivo Pessoal Composto

Forma-se com o verbo auxiliar **ter** no **Infinitivo Pessoal** e o **Particípio Passado** do verbo principal.

ter **Infinitivo Pessoal**	+	*verbo principal* **Particípio Passado**

EXEMPLO: *Apesar de os cientistas **terem alertado** há muito sobre a destruição do planeta, só há pouco é que os governos começaram a prestar-lhes a devida atenção.*

Utiliza-se para referir:

a) uma ação passada e anterior a outra ação também passada.

EXEMPLO: *Só depois de **terem prestado** atenção aos alertas dos cientistas é que os governos **começaram** a tomar medidas.*

b) uma ação futura, mas anterior a outra ação também futura.

EXEMPLO: *Sem **terem tomado** consciência da gravidade do problema, os cidadãos não **poderão/podem** reduzir a sua pegada ecológica no planeta.*

5.1. Complete as frases com o Infinitivo Pessoal Composto.

1. Mantivemos as lâmpadas antigas até ________ (conhecer) o que as novas nos permitem economizar.
2. Sem ________ (aderir) ao Ecoponto, não podes dizer que te preocupas com o ambiente.
3. Perante tamanha catástrofe, não quisemos deixar de contribuir, apesar de ________ (ter) muitas dificuldades em fazê-lo. Há quem precise mais.
4. Depois de ________ (ajudar) os desalojados, os voluntários sentiram-se humanamente gratificados.
5. Um mês depois de ________ (ver) as suas vidas destruídas pelo terramoto, os haitianos, apesar das dificuldades, continuaram a ter esperança no futuro.

......>

6. Depois de ________ (assistir) a uma catástrofe destas, aprendemos a dar outro valor à vida.

7. Vinte anos após ________ (fundar) a AMI, Fernando Nobre continua a participar intensamente nas missões humanitárias e, apesar de já ________ (escrever) vários livros, não se considera um escritor, mas um "gritador" que alerta para a construção de um mundo melhor.

8. Será que só depois de ________ (conseguir) extinguir todos os animais é que o homem se vai aperceber do seu erro?

9. Sem primeiro ________ (pensar) nas consequências ambientais, não deves aprovar esse projeto.

10. No caso de ainda não ________ (começar) a andar mais de bicicleta, aconselho-te a fazê-lo quanto antes: é bom para a tua saúde e para o ambiente.

5.2. Infinitivo Pessoal Simples ou Infinitivo Pessoal Composto?

1. Para nós ________ (reduzir) a poluição, primeiro temos que conseguir uma consciencialização global da gravidade do problema. Só depois de ________ (dar) esse passo, obteremos o contributo de cada um.

2. Em vez de ________ (lamentar-se), vocês deveriam era agir!

3. Foi por todos ________ (ignorar) os alertas dos cientistas que chegámos a este ponto extremo.

4. Antes de a conferência de Copenhaga ________ (terminar), já muitos tinham perdido a esperança de que se conseguisse um acordo vinculativo entre todos os países.

5. Para ________ (poupar) energia, não deixem as luzes acesas quando não é necessário.

6. É importante não ________ (esquecer) que muito depende de nós, dos nossos hábitos quotidianos.

7. Os ecologistas organizaram manifestações em várias capitais para ________ (pressionar) os políticos nas suas decisões.

8. Continuarei a manifestar-me até ________ (conseguir) alcançar os meus objetivos.

9. Depois de os portugueses ________ (sofrer) um inverno tão rigoroso, o país teve que preparar-se para as ondas de calor previstas pelos meteorologistas.

10. Apesar de o nível do mar ________ (aumentar) com a expansão térmica da água e o degelo de glaciares e calotas, há quem continue a subestimar o problema.

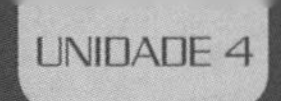

C. ORTOGRAFIA e PRONÚNCIA

1. Complete as palavras com x ou ch. Em seguida, ouça as palavras para confirmar o som.

X [ʃ]	ou	CH [ʃ]

___uvada	cai___a	___ouriço	___arope	___enofobia
e___celência	___ávena	e___periência	___ave	ca___ecol
pai___ão	fa___ada	e___plosão	embai___ador	pei___aria
fe___adura	e___cedente	bai___o	man___a	bola___a
___eque	ca___aça	___ocalho	co___o	ca___imbo
e___trato	cai___ote	e___ceção	___arco	deslei___o
gan___o	ca___alote	___oque	re___eio	___icote
___adrez	quei___o	e___pressão	___ão	lu___o

D. PRODUÇÃO ESCRITA

Leia esta pequena notícia sobre as manifestações que decorreram em Copenhaga.

A COPENHAGA ATIVISTA

Rua sim, rua sim, *outdoors* publicitários exibem mensagens ecológicas. No ClimaForum, o dia inicia-se com meditação. O maior evento paralelo à cimeira oficial reclama o título de "conferência climática das pessoas" e é ponto de encontro de ativistas, ONG ou meros curiosos. A porta está aberta a quem quiser entrar num dos 30 eventos diários, entre palestras, *workshops*, concertos e filmes. Nas paredes, há calendários com eventos para todos os gostos, mapas com a estratégia e os pontos de encontro para protestos. Voluntários distribuem conselhos sobre o que vestir, o que dizer ou que direitos reclamar.

Público, 12 de dezembro de 2009

Agora, imagine que, no sítio onde vive, também alguns cidadãos estão a organizar um protesto coletivo contra as insuficientes políticas locais em prol do ambiente. Escreva um *e-mail* a um amigo e, em cerca de 150 palavras, convença-o a participar consigo nesse evento.

E. TAREFA

Face às crescentes alterações ambientais e ao sofrimento causado pelas imprevisíveis catástrofes naturais, o sentimento de alerta e de solidariedade tem crescido em todo o mundo. As ONGs (organizações não governamentais) desempenham um papel fundamental na preservação do ambiente e no apoio humanitário.

1. AMI, Amigos do Mar, FAPAS, LPN e QUERCUS são algumas das ONGs portuguesas.

   Pesquise sobre uma delas e apresente-a aos seus colegas, referindo o tipo de atividade e de projetos que tem vindo a desenvolver.

   Alguns sítios que pode consultar na *internet*:

   http://www.agroportal.pt/Sociedade/org/ongs.htm
   http://www.amigosdomar.pt/
   http://www.fapas.pt/
   http://www.ami.org.pt
   http://www.lpn.pt/
   http://www.quercus.pt/

ou

2. Pesquise sobre uma ONG do seu país cujo trabalho aprecie e apresente-a aos seus colegas, salientando os motivos pelos quais considera importante a sua atividade.

SOCIEDADE DE CONSUMO

UNIDADE 5

A. TEXTOS, CONTEXTOS e PRETEXTOS

I. Um mundo global.

1. **O avanço das comunicações aproximou de tal forma os povos que alguns afirmam que o mundo se vai tornando numa aldeia global. Para o escritor inglês Martin Page, no seu livro *A Primeira Aldeia Global*, os portugueses terão sido os grandes impulsionadores deste caminho para um mundo global com as suas viagens na época dos Descobrimentos, dando a conhecer novos mundos, novas culturas. Mas viria a ser com o desenvolvimento dos novos meios de comunicação que o mundo se tornaria uma pequena aldeia, onde todos podem falar com todos e onde as notícias circulam a uma velocidade assustadora.**

NO SÉCULO XIX, A IMPRENSA HABITUOU-NOS A IMAGINAR QUE ÉRAMOS PARTE DE UMA NAÇÃO. NO SÉCULO XXI, OS *MEDIA* ELETRÓNICOS E AS MIGRAÇÕES CONSTRUÍRAM UMA NOVA COMUNIDADE IMAGINÁRIA: A GLOBALIZAÇÃO.

Nos últimos 20 anos, globalização tornou-se a palavra-chave do mundo. Mais do que um conceito, uma ideia, **tornou-se um nome amplo, o chapéu de chuva sob o qual abarcamos tudo**.

Está presente em todas as áreas da existência humana, empurrada pela força brutal da integração económica transplanetária e reforçada por uma rede de comunicações que virtualiza as imagens do mundo, **faz circular o dinheiro à velocidade da luz, abole o espaço e o tempo**. A globalização tornou-se o nome do mundo. O seu triunfo coincide com a morte das utopias.

Na era global, a identidade move-se, migra, redesenha-se no modelo da sociedade em rede. **O Estado-nação é a primeira vítima deste movimento**. As forças impessoais dos mercados mundiais são hoje mais poderosas do que os governos.

Com a globalização, surgem as identidades em movimento e a comunidade que se forma em torno de um novo conceito de identidade já não imagina nações mas sim um mundo global. É uma **comunidade de cidadãos interativos plenamente consciente do alcance mundial das suas mensagens.**

Miguel Gaspar, *Público*,
6 de março de 2010 (adaptado)

1.1. Quais são, para si, as vantagens e desvantagens de vivermos num mundo global? Escreva algumas ideias e, em seguida, apresente o seu ponto de vista aos seus colegas. Justifique as suas opiniões. Numa sondagem realizada na primavera de 2006, 47% dos cidadãos da União Europeia consideravam a globalização uma ameaça, contra 37%, que a viam como uma oportunidade. As razões para este descontentamento são conhecidas: o aumento da concorrência internacional e a entrada em cena de milhões de novos trabalhadores muito baratos têm tido um impato negativo nos empregos, salários, direitos laborais e regalias sociais nos países desenvolvidos, gerando um sentimento de insegurança entre os trabalhadores e alargando o fosso entre ricos e pobres.

VANTAGENS	DESVANTAGENS

1.2. Explique, por palavras suas, as seguintes expressões.

- "… tornou-se um nome amplo, o chapéu de chuva sob o qual abarcamos tudo."
- "… faz circular o dinheiro à velocidade da luz, abole o espaço e o tempo."
- "O Estado-nação é a primeira vítima deste movimento."
- "… comunidade de cidadãos interativos plenamente conscientes do alcance mundial das suas mensagens."
- "… entrada em cena de milhões de novos trabalhadores muito baratos…"

2. Leia o seguinte texto inserido na revista *Visão* (11 de dezembro de 2008) e conheça algumas das novas tendências em Portugal, num mundo que se quer global.

A FORÇA DAS MINORIAS

Até que ponto pequenas ideias postas em marcha por um grupo de pessoas funcionam como o rastilho de grandes mudanças à escala global?

Já ouviu falar do Efeito Borboleta? A tese afirma que o bater de asas de uma borboleta na China pode gerar um furacão na América. Políticos, empresários e especialistas em *marketing*, todos aspiram a prever espontaneamente, e em dado momento, grupos diferenciados de consumidores. E esses nichos de mercado são cada vez mais imprevisíveis, reduzindo estudos prospetivos a bilhetes da lotaria.
Conheça algumas novas tendências que podem fazer a diferença na paisagem urbana portuguesa, num futuro que começa aqui.

VIRAR À ESQUERDA
Há cada vez mais canhotos no mundo. Uma causa social ou genética? Durante séculos, o esquerdino foi sempre malvisto e contrariado. A palavra canhoto é mesmo sinónimo de desajeitado ou desastrado. Por outro lado, até há poucas décadas, as professoras primárias obrigavam as crianças a escreverem com a mão direita.

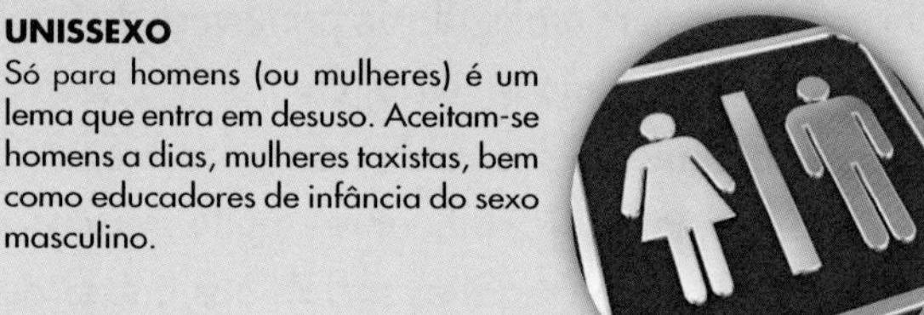

UNISSEXO
Só para homens (ou mulheres) é um lema que entra em desuso. Aceitam-se homens a dias, mulheres taxistas, bem como educadores de infância do sexo masculino.

CASAMENTO
As mulheres querem realizar-se noutras áreas que não apenas a familiar, adiando os compromissos afetivos e a maternidade.

MENINOS DA MAMÃ
Os rapazes saem cada vez mais tarde de casa dos pais. Existem várias razões para este fenómeno: o prolongamento das trajetórias escolares, o mercado de trabalho instável, a falta de soluções de arrendamento de casa.

COMPRADORAS DE CARROS
As mulheres tornaram-se grandes compradoras de carros mas não querem as mesmas coisas que eles. Querem que seja seguro e fácil de manter, em vez de rápido e elegante. Estão a ditar as mudanças no mercado automóvel.

CAFEÍNA
O café e as bebidas energéticas tornaram-se insubstituíveis. Será que já não conseguimos passar sem eles? Segundo um estudo europeu, 92% dos portugueses consomem bebidas com cafeína, sendo o café a principal fonte de obtenção desta substância.

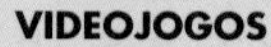

VIDEOJOGOS
Os jogos de computador não são só coisas de crianças. O mundo dos videojogos está mais adulto. Hoje, temos a imagem de um homem sentado num sofá com a consola ligada ao plasma, com a mulher sentada ao lado dele a gritar-lhe: "É a minha vez."

VELHOS SÃO OS TRAPOS
Depois da reforma, há quem continue a trabalhar, por gosto. Seja por necessidade ou por gosto, a taxa de idosos empregados está a aumentar. Longe vão os tempos do reformado de chinelos.

TATUAGENS
As tatuagens já não são sinal de irreverência. Estão na moda. Tornaram-se um sinónimo de *chic* e agora fazem-se a partir dos 40 anos. A tendência é, aliás, tatuar numa idade mais madura.

Clara Soares, *Visão*, 11 de dezembro de 2008

2.1. **Estas tendências também se verificam no seu país? Refira outras tendências que tenham surgido nos últimos tempos. Que hábitos mudaram? O que *está na moda*? As tendências afetam principalmente as gerações mais jovens? Refira uma tendência ou uma moda que considere negativa.**

2.2. **O verbo *estar* utiliza-se em muitas expressões. *Estar na moda* é um exemplo. Mas há muitos outros. Explique o significado de cada uma das expressões seguintes e escreva uma frase exemplificativa.**

1. estar de ressaca	
2. estar à seca	
3. estar fixe	
4. estar no papo	
5. estar-se nas tintas	
6. estar de baixa	
7. não estar para	
8. estar farto	
9. estar de cabeça quente	
10. estar de rastos	

3. Dentro da aldeia global em que vivemos, vão surgindo iniciativas que visam a promoção do que é nacional, com o objetivo de incentivar a produção nacional, ou simplesmente pelo interesse da preservação dos hábitos e tradições do país. Este é um exemplo de uma dessas iniciativas.

OPERAÇÃO PATRIÓTICA

Com o lema "Compro o que é nosso", a Associação Empresarial de Portugal (AEP) lançou uma inovadora campanha de sensibilização para o consumo de produtos e marcas nacionais.

O objetivo deste projeto é criar um novo estado de espírito na sociedade portuguesa, valorizando a produção nacional, a criatividade, o empreendorismo, o trabalho, o esforço e a determinação das empresas nacionais.

Os estudos de mercado, no âmbito deste projeto, mostraram que os consumidores são sensíveis à origem dos produtos. Este programa acolhe também marcas de multinacionais desde que seja elevada a contribuição da sua unidade portuguesa.

E estes são alguns slogans publicitários patrióticos.

O que é nacional é bom.	Faça férias cá dentro.	Portugal, a minha primeira escolha.

3.1. **O que acha destas iniciativas? Também existem no seu país? Dê alguns exemplos. Considera que a globalização põe em risco a identidade nacional de cada país? Justifique as suas opiniões.**

3.2. **Na língua portuguesa existem alguns estrangeirismos que são muito utilizados, como é o caso de *slogan*. Relacione os seguintes estrangeirismos com as palavras ou expressões que se encontram à direita.**

1. *gaffe*
2. *comité*
3. *croquis*
4. *atelier*
5. *snob*
6. *menu*
7. *tournée*
8. *complot*
9. *charme*
10. *placard*

- lista, ementa
- digressão
- encanto
- conspiração
- esboço
- comissão ou delegação
- erro ou engano inoportuno
- cartaz para anunciar
- pretensioso, presunçoso
- oficina de trabalho para arquitetos e artistas plásticos

3.3. **Leia as seguintes frases publicitárias e, em grupo ou individualmente, relacione cada uma delas com o produto que acha que está a ser publicitado.**

1. Tudo o que precisa num só toque.
2. Aproveite a nossa melhor taxa e concretize os seus projetos.
3. A vida tem altos e baixos. Aproveite.
4. Conheça por dentro os grandes temas do momento.
5. Escolha-os com tempo...
6. Há 15 anos a dar a volta ao mundo.

- jipe
- óculos de sol
- jornal
- revista de viagens
- telemóvel
- banco

II. Nós, consumidores.

Porque todos nós somos consumidores, torna-se necessário conhecer os nossos direitos sempre que fazemos compras, vamos de férias, vamos a um restaurante, ou adquirimos qualquer tipo de serviço. O problema é que nem todos sabem o que podem e devem fazer. No dia mundial do consumidor, 15 de março, o jornal *i* incluiu um conjunto de conselhos úteis para todos os consumidores. Leia alguns deles e conheça os seus direitos.

CONSUMO. CONHEÇA TUDO A QUE TEM DIREITO

COMPRAS

Há regras de ouro que pode seguir para evitar surpresas desagradáveis. Antes de comprar qualquer produto, informe-se sobre as características, compare preços, analise as condições de troca, assim como da garantia e da assistência pós-venda. No caso de existir contrato, peça tempo para conseguir ler nas entrelinhas. Em relação a trocas, a substituição do bem ou os reembolsos só são obrigatórios se o bem tiver defeito.

RESTAURANTES

A lista do dia e os preços praticados pelos restaurantes têm de estar obrigatoriamente afixados à entrada e devem incluir taxas e impostos. O restaurante é também obrigado a emitir uma fatura. Em caso de reclamação, este documento é fundamental. O consumidor tem direito ainda a reclamar em caso de má qualidade dos bens fornecidos e dos serviços prestados, assim como do mau estado das instalações e do equipamento. Para isso, basta solicitar o livro de reclamações.

FÉRIAS

Caso viaje de avião, saiba que se houver um atraso de duas ou mais horas a companhia tem de o informar dos seus direitos. Se o voo for cancelado, tem direito a escolher o reembolso ou um voo alternativo. É preciso ter em conta que a instabilidade política, o mau tempo, riscos no voo e greves externas são consideradas exceções e, nestes casos, os clientes não têm direito a qualquer tipo de indemnização.

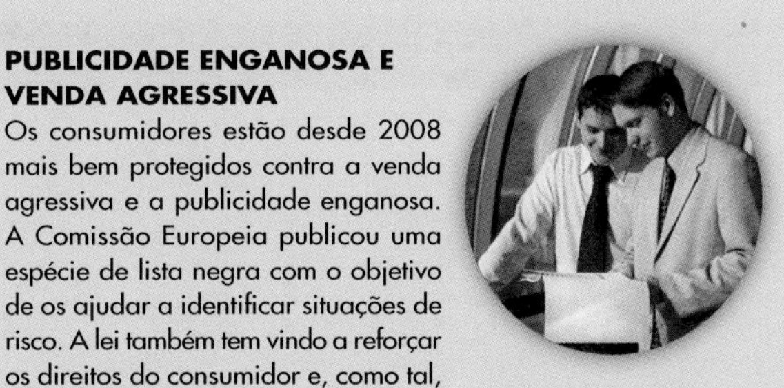

PUBLICIDADE ENGANOSA E VENDA AGRESSIVA

Os consumidores estão desde 2008 mais bem protegidos contra a venda agressiva e a publicidade enganosa. A Comissão Europeia publicou uma espécie de lista negra com o objetivo de os ajudar a identificar situações de risco. A lei também tem vindo a reforçar os direitos do consumidor e, como tal, permite anular contratos que tenham sido celebrados sob a influência de uma prática desleal. Nas vendas à distância ou ao domicílio, o cliente tem um prazo de reflexão de 14 dias durante os quais pode desistir da compra.

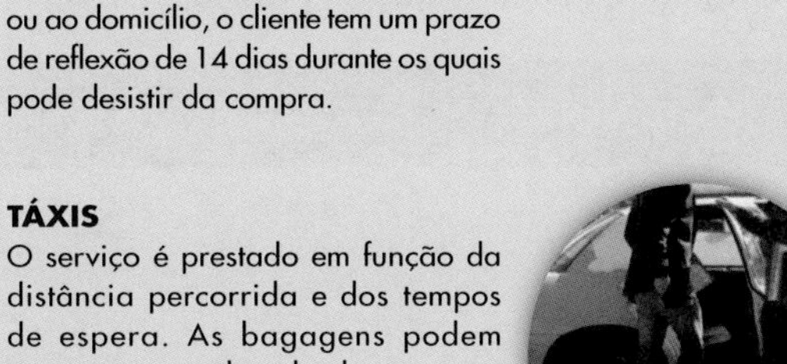

TÁXIS

O serviço é prestado em função da distância percorrida e dos tempos de espera. As bagagens podem ser transportadas desde que não prejudiquem a conservação do carro. Não pode ser recusado o transporte de animais de estimação desde que se encontrem acompanhados e acondicionados, salvo se revelarem sinais de serem perigosos para a saúde ou para a higiene.

INTERNET

Apesar de estar a comprar à distância, quem presta o serviço tem de respeitar regras. A identidade e a morada do vendedor tem de estar bem visível e, nos contratos com pagamento adiantado, existem pormenores que não podem ser esquecidos, tais como as características do bem ou do serviço, o preço com imposto, as despesas de entrega, as modalidades de pagamento, etc. Se quiser anular a compra depois de o produto lhe chegar às mãos, tem 14 dias para o fazer.

Sónia Peres Pinto, *i*, 15 de março de 2010

1. Algum destes direitos o surpreendeu por ser diferente no seu país?

2. Das situações referidas no artigo, quais são as que, na sua opinião, mais vezes os direitos do consumidor não são respeitados? Alguma vez teve problemas em alguma delas?

3. **Existem outras situações em que o consumidor tem de conhecer bem os seus direitos. Que tipo de problemas ocorrem com mais frequência nas prestações dos seguintes serviços? Que cuidados é que um consumidor deve ter?**

CORREIOS	TELECOMUNICAÇÕES	SERVIÇOS FINANCEIROS

4. **Conhece os direitos que as pessoas têm no seu país em relação aos seguintes contextos?**

DESPEDIMENTO	ABONOS E SUBSÍDIOS	FÉRIAS E BAIXAS POR DOENÇA	ASSISTÊNCIA À FAMÍLIA

III. O direito de reclamar.

Sempre que não ficamos satisfeitos com a prestação de um determinado serviço, podemos e devemos reclamar. Esse é um direito de todos os cidadãos. Leia o texto sobre o Livro de Reclamações.

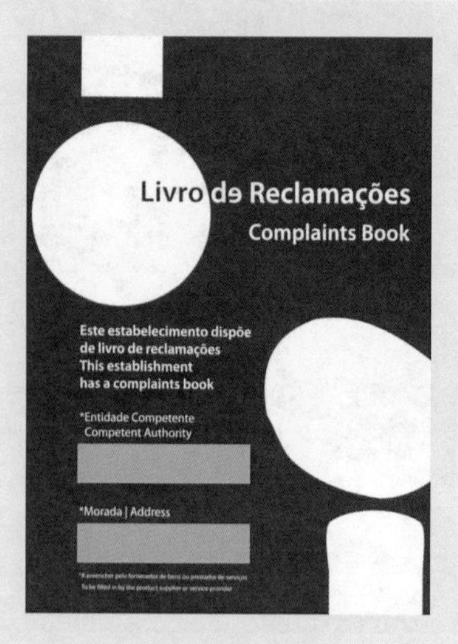

O **Livro de Reclamações** é um dos meios mais práticos e comuns para o consumidor apresentar queixa. Quando algo não corre bem na prestação de um serviço ou na compra de um produto, o consumidor pode solicitar este livro e reclamar logo nesse local, sem nenhum encargo. Mesmo que a entidade a quem a queixa é enviada já não possa solucionar o problema, esta forma de reclamar pode ajudar a evitar que outros cidadãos sejam prejudicados pelas mesmas razões.

À VISTA DE TODOS

A frase "Este estabelecimento dispõe de livro de reclamações" tem de estar afixada em local visível e é obrigatória em todos os estabelecimentos com livro de reclamações. O nome do organismo competente para apreciar a queixa tem também de ser incluído no cartaz.

1. Escreva um sinónimo para cada uma das palavras, de acordo com o sentido do texto.

1. meios	___
2. comuns	___
3. solicitar	___
4. logo	___
5. local	___
6. solucionar	___
7. razões	___
8. dispõe	___
9. afixada	___
10. apreciar	___
11. queixa	___

2. Já alguma vez teve de reclamar por uma má prestação de um serviço? Conte como tudo se passou.

3. No seu país os estabelecimentos também são obrigados a pôr à disposição dos clientes o Livro de Reclamações? Acha que adianta deixar a reclamação registada quando não se está contente com o serviço prestado? Justifique a sua opinião.

4. Ouça uma notícia sobre um estudo acerca dos consumidores portugueses.

Em seguida, assinale se as afirmações são verdadeiras ou falsas.

1. De acordo com este estudo, os consumidores portugueses mostram-se bastante contentes com os serviços públicos.	V ☐	F ☐
2. Podemos concluir que os consumidores portugueses não são muito exigentes.	V ☐	F ☐
3. A maioria dos consumidores contatados já tinha apresentado alguma queixa.	V ☐	F ☐
4. Na União Europeia, os consumidores portugueses estão entre os que mais apresentam reclamações escritas.	V ☐	F ☐
5. O nível de instrução influencia o grau de exigência por parte dos consumidores.	V ☐	F ☐
6. O Secretário de Estado não gostou dos resultados do estudo.	V ☐	F ☐
7. O Secretário de Estado considera que uma sociedade moderna deve ser exigente.	V ☐	F ☐

B. GRAMÁTICA e VOCABULÁRIO

1. Complete as seguintes frases com os verbos conjugados no tempo adequado.

1. Tem cuidado, António. Não ________________ (pôr) demasiado açúcar no café.
2. Os presentes só ________________ (abrir) depois de todos ________________ (chegar).
3. Nos últimos tempos, os consumidores portugueses ________________ (mostrar-se) mais conscientes do seu direito de reclamação.
4. É lamentável que muitas pessoas ________________ (aceitar) com resignação uma má prestação de um serviço.
5. Desculpe, mas exijo que me ________________ (trazer) o Livro de Reclamações.
6. Não acredito que a Isabel ________________ (fazer) essa reclamação por escrito.
7. Eu teria desistido da queixa, se o dinheiro ________________ (devolver) na totalidade.
8. Se todos nós ________________ (comprar) mais produtos nacionais, seria bom para a economia do país.
9. Normalmente as pessoas esperam muito tempo para ________________ (atender) nos serviços públicos.
10. Pois. Agora estás com frio! Mas eu bem te ________________ (dizer) que ________________ (trazer) roupa mais quente.

2. Reescreva as seguintes frases na voz passiva.

1. Duvido que eles tenham resolvido esse problema.

   Duvido que esse problema ____.

2. Os consumidores devem exigir um bom serviço público.

   ____.

3. Só me devolveram o dinheiro, depois de ter pedido o Livro de Reclamações.

   ____.

......>

4. Para que possamos concretizar os nossos projetos, temos de pedir um empréstimo.

____.

5. Muitas pessoas consideram a globalização como uma ameaça.

____.

6. Na próxima semana apresentaremos esse projeto à comunidade empresarial.

____.

7. Se nos tivessem oferecido outras condições, teríamos aceitado o negócio.

____.

3. As palavras compostas têm regras específicas para a formação do seu plural. Escreva as seguintes palavras no plural.

1. a palavra-chave	as palavras-chave
2. o porta-voz	
3. o Estado-nação	
4. o sem-vergonha	
5. o amor-perfeito	
6. o ex-diretor	
7. verde-escuro	
8. a segunda-feira	
9. o recém-nascido	
10. o vice-reitor	

4. Complete o quadro com as palavras que têm um sentido contrário.

1. o avanço	
2. aproximar	
3. o triunfo	

4. malvisto	
5. instável	
6. maduro	
7. oportuno	
8. alargar	
9. apertado	

5. Transforme os substantivos em adjetivos.

1. a ameaça	
2. a oportunidade	
3. a energia	
4. o consumo	
5. a instabilidade	
6. a inovação	
7. o valor	
8. a visibilidade	
9. a minoria	
10. a previsão	
11. o susto	
12. o engano	
13. o defeito	

6. Complete o texto com as palavras que se encontram dentro do quadro.

ganhar	exposto	por	descobre-se	passa-se
de	por	a	descrever	fazer
apenas	em	ficam	para	embora
dar	comum	sempre	adequado	com

"*PERSONAL SHOPPERS*", UMA PROFISSÃO QUE COMEÇA ______________ APARECER NO MERCADO

A profissão de "*personal shopper*" é ainda pouco ______________ em Portugal, mas está a ______________ terreno. Estes profissionais da moda cobram um preço ______________ hora para ajudarem os seus clientes a definir um estilo e a estar ______________ na moda. Primeiro, há uma conversa para perceber as aspirações do cliente e ______________ as tendências de moda da estação. Depois, ______________ à prática. As botas de uma loja ______________ bem com o vestido ________ na montra de outra. A conjugação depende da profissão e do local de trabalho do ou da cliente. Conversando ___________ a pessoa, ___________ o que é mais ___________. O segredo é ______________ perguntas banais: Qual o sítio que escolheria ______________ viver? Que animal gostaria de ser? Onde gostaria de passar férias? Isso acaba ______________ revelar a personalidade e as aspirações da pessoa. Ser consultor de imagem pessoal é um serviço muito mais completo do que ______________ ir às compras com o cliente e os preços são bastante mais elevados. ______________ em Portugal estas profissões ainda estejam a ______________ os primeiros passos, não há dúvidas ______________ que esta é uma área ______________ expansão.

Ana Cristina Gomes e Carla Macedo, *Notícias Sábado*, 29 de setembro de 2007 (adaptado)

7. As palavras homónimas têm a mesma pronúncia e a mesma grafia, mas apresentam significado diferente. Para cada uma das seguintes palavras faça duas frases que evidenciem essa diferença.

1. canto ____

____

2. rio ____

____

3. saia ____

____

4. vaga ____

____

5. cabo ____

____

6. como ____

____

......>

7. são ______________________________

____

8. vão ______________________________

____

9. corte ______________________________

____

10. andar ______________________________

____

11. direito ______________________________

____

8. Junte cada um dos verbos com um elemento da segunda coluna e forme uma expressão. Em seguida, escreva uma frase exemplificativa do seu significado.

1. tomar	**• a carta**
2. fazer	**• de ideias**
3. abrir	**• atenção**
4. correr	**• voo**
5. pôr	**• jeito**
6. sofrer	**• à conclusão**
7. chegar	**• em desuso**
8. ter	**• o exame**
9. prestar	**• uma atitude**
10. tirar	**• nas vistas**
11. levantar	**• as consequências**
12. mudar	**• o risco**
13. dar	**• doente**
14. passar	**• de conta**
15. ficar	**• em causa**
16. entrar	**• uma exceção**

1. ______________________________
2. ______________________________
3. ______________________________
4. ______________________________
5. ______________________________
6. ______________________________
7. ______________________________
8. ______________________________
9. ______________________________
10. ______________________________
11. ______________________________
12. ______________________________
13. ______________________________
14. ______________________________
15. ______________________________
16. ______________________________

C. ORTOGRAFIA e PRONÚNCIA

1. Complete as palavras com z, s ou x. Em seguida, ouça as palavras para confirmar o som.

S [Z]	ou	Z [Z]	ou	X [Z]

e__aminar	desli__e	he__itar	pra__o
reali__ação	sínte__e	ê__ito	ideali__ar
pesqui__a	preci__o	requi__ito	e__emplar
de__asseis	invejo__o	e__ecutar	pobre__a
de__onra	juí__o	e__austo	utili__ar
ra__oável	e__igente	a__ia	e__ílio

2. Ouça as palavras e acentue graficamente as que necessitam de acento.

contem	contem	contem	ananas
caracois	caracol	estrela	infamia
mantem	ingles	francesa	galeria
pode	poder	para	paragem
armazem	constroi	construiram	textil
heroi	miudo	voo	subsidio
familiar	caracter	liquido	transito
decimo	excedi	publicitario	ortografia
obstaculo	caracter	dificilmente	oficio

D. PRODUÇÃO ESCRITA

Chegou de uma viagem que reservou e pagou numa agência de viagens. No entanto, nem tudo correu bem. Nada foi como esperava: o hotel, a comida, as visitas, o guia... Está mesmo descontente. Escreva uma carta de reclamação à sua agência de viagens (120 a 150 palavras), expondo o seu descontentamento e referindo os aspetos que o desapontaram e que o levam a exigir algum tipo de indemnização por parte da agência.

Vivemos num mundo em que as pessoas rapidamente se deslocam de um ponto para o outro do globo. A migração de pessoas é um elemento constitutivo das sociedades contemporâneas, exigindo a partilha de hábitos e de valores muitas vezes diferentes.

Prepare uma apresentação sobre a situação do seu país em relação aos imigrantes. Refira:

- quais as nacionalidades estrangeiras mais representadas;
- principais motivos que os levaram a imigrar no seu país;
- quais as iniciativas que visam promover a sua integração;
- relação entre as diferentes comunidades.

REALIDADE OU UTOPIA

UNIDADE 6

I. Realidades.

Isolado ou num mundo global, onde os direitos de igualdade e de oportunidades estão na ordem do dia, não há país que dispense ou sobreviva sem atividade política, apesar da falta de consensos a seu propósito.

1. Leia o seguinte texto de opinião, escrito por Joaquim Jorge, fundador do Clube dos Pensadores (http://clubedospensadores.blogspot.com).

POLÍTICA NO SÉCULO XXI: QUE VALORES? QUE PARTIDOS? QUE CIDADÃOS?

A função da política deve ser procurar, no dia a dia, o bem-estar dos cidadãos e não podemos continuar a fingir que podemos tomar decisões sem saber o que as pessoas pensam delas, sem envolvê-las nelas. **Os cidadãos estão reduzidos à condição de espectadores.** A política atravessa uma séria crise de confiança, os cidadãos deixaram de acreditar, pelo menos em parte, na sua utilidade. Ela tem de ser mais transparente e aberta. É necessário oferecer outra maneira de fazer política, acabar com este modelo clássico português e sobranceiro. Os cidadãos estão cansados de mentiras, corrupção, broncas, decadência económica, desvergonha, velhacada e patos subterrâneos.

A política em Portugal, e noutros países, é algo visto ou para políticos ou desconsiderado pela retórica de dizer uma coisa e fazer outra e, o pior de tudo, ligado a atitudes e interesses menos límpidos. É necessário sobriedade, sentido comum, produtividade, inovação e mérito. Hoje em dia, as pessoas têm pouca confiança nos políticos. É triste. **Dizem que a política é "suja". Na verdade, a política não tem nada de sujo. São os homens que a tornam assim. Diga-se de passagem, em defesa dos políticos, que eles emanam necessariamente desta sociedade.**

Os maiores problemas do nosso sistema político são a carência, sobretudo de mudanças de atitudes; comportamento da classe política; reforma dos partidos; acumulação de cargos que não deveria ser permitida; apertado controlo de interesses; a perversão dos ideais; a mediocridade; o envelhecimento dos atores individuais (políticos) e coletivos (partidos); o descrédito da maioria nas suas práticas; falsificação da linguagem e dos destinos; produção de uma devastadora desigualdade entre pessoas.

Há gente que perdeu a fé no país. Os cidadãos sentem que, apesar de votarem, não podem alterar o rumo da política por eles próprios. Os partidos têm cada vez mais dificuldade em chegar às pessoas, concomitantemente as pessoas têm dificuldade em se fazer ouvir e participar. Votar de quatro em quatro anos não chega. **Os cidadãos devem ter práticas de cidadania sem as quais ficará esvaziada e falseada.** Devemos combater o desinteresse, a queda da participação e a falta de confiança. Os centros de poder estão a aumentar fora da lógica partidária: ONG; grupos de reflexão política; movimentos; grupos de pressão; etc.

Eu tenho a responsabilidade de me envolver, ter massa crítica, gastar algum tempo a ler o jornal e a votar. Se não o fizer, a democracia não sobrevive.

Joaquim Jorge, *Jornal de Notícias*, novembro de 2009 (com supressões)

1.1. Que imagem da política em Portugal é aqui apresentada? Está de acordo com ela? Essa imagem existe também no seu país?

1.2. Leia o seguinte verbete de dicionário.

Das três definições apresentadas, qual (ou quais) acha que está(ão) presente(s) no texto? Justifique a sua opinião.

política *s.f.* 1. arte ou ciência de governar um Estado. 2. atividade dos que regem os assuntos públicos. 3. ação do cidadão quando intervém nos assuntos públicos, com a sua opinião, com o seu voto ou de qualquer outro modo.

1.3. E o cidadão comum, deverá ele também desempenhar um papel político? Como? De que formas de atuação dispõe ele para intervir ativamente?

1.3.1. E você, é também um cidadão interventivo ou, pelo contrário, demite-se desse seu papel? Porquê?

1.4. É capaz de imaginar o dia a dia de um político? Como será?

1.4.1. Seria capaz de trocar a sua vida pela de um político? Que motivos o levam a pensar assim?

1.5. De acordo com o sentido do texto, explique, por palavras suas, as seguintes ideias do autor.

- "Os cidadãos estão reduzidos à condição de espectadores."
- "Diga-se de passagem, em defesa dos políticos, que eles emanam necessariamente desta sociedade."
- "Os cidadãos devem ter práticas de cidadania sem as quais ficará esvaziada e falseada."

1.6. Diga o que pensa da seguinte afirmação de Joaquim Jorge.

- "Dizem que a política é 'suja'. Na verdade, a política não tem nada de sujo. São os homens que a tornam assim."

2. Da série de palavras que a seguir se apresentam, escolha as que, na sua opinião, caracterizam o exercício do poder político no seu país. Justifique o seu ponto de vista e confronte-o com o dos seus colegas.

abnegação	interesse	justiça	honestidade
influência	empreendedorismo	corrupção	respeito
poder	altruísmo	falsidade	idealismo
protagonismo	humanismo	ambição	promessa
solidariedade	laxismo	derrapagem	tolerância
verdade	realismo	transparência	compromisso

3. **No texto, a palavra "partido" refere-se a "partido político", uma organização de cidadãos com uma ideologia própria e o objetivo de conquistar e exercer o poder político.**
No entanto, com a palavra "partido" existem outras expressões em português.

3.1. **Faça corresponder as expressões ao seu significado.**

1. tomar o partido de	☐ ter atitudes e posições sem objetividade, obedecendo apenas às ideias de um partido
2. tirar partido de	☐ manifestar uma opinião a favor ou contra um dos lados
3. ser um bom partido	☐ defender alguém ou alguma coisa
4. tomar partido	☐ ser solteiro e considerado sob o ponto de vista da situação económica e social
5. ter espírito de partido	☐ aproveitar as condições de alguma coisa ou situação

3.2. **Em cada uma das frases, substitua o que está sublinhado por uma expressão equivalente com a palavra "partido".**

1. Seja em que circunstância for, ela <u>está sempre</u> do lado dos filhos. ____________________
2. A Joana vai casar: finalmente, apareceu-lhe <u>o pretendente ideal</u>! ____________________
3. É impossível discutir com ele. Por muito que se argumente com factos, ele nunca deixará de <u>pensar daquela maneira</u>. ____________________
4. O Presidente da Câmara <u>beneficiou do seu cargo</u> para obter alguns privilégios. ____________________
5. Felizmente ainda há pessoas solidárias que <u>lutam</u> sempre pelos mais fracos. ____________________
6. Perante a lógica das justificações de professores e alunos, o João viu-se na necessidade de <u>alinhar pelos</u> seus pares para desempatar a decisão. ____________________
7. Ontem conheci o engenheiro Tomás. Não me parece <u>nada de se deitar fora</u>... ____________________
8. Tivemos bastante sorte. O terreno não era muito grande, mas o arquiteto soube <u>explorar bem</u> todas as suas características e ficámos com este belo jardim! ____________________

4. **Falamos em direitos humanos, direitos do consumidor, direito à educação, cidadão ativo, novas tecnologias, informação ao alcance de todos... mas inúmeros são os que vivem uma realidade completamente diferente e desigual. Paralelamente, um outro mundo, o mundo da solidariedade, no qual o voluntariado é uma prática universal tão antiga como a própria humanidade.**

DAR-SE AOS OUTROS

Todos temos ao nosso alcance, de uma forma ou de outra, a possibilidade de minorar sofrimentos e penas. Se cada um de nós se disponibilizasse voluntariamente para dar um pouco do seu tempo a quem precisa, se cada pessoa se responsabilizasse por dar ao outro um pouco de si, a ajuda seria enorme. Se nem todos podem fazer grandes obras, que façam o que puderem na ajuda ao outro, é o que se pede no voluntariado. A diversidade dos campos de atuação em que pode ser exercido é enorme.

Ser voluntário é muito mais do que querer ajudar: é um ato de cidadania ativa; é ser participante de forma comprometida e implicada num determinado objetivo; é dar-se aos outros sem pedir nada em troca; é atuar para transformar. Exige disponibilidade, comprometimento, responsabilidade, e, acima de tudo, acreditar que a sua colaboração faz a diferença.

Sofia Cunha Pereira, – coordenadora da Bolsa do Voluntariado, *Notícias Magazine*, 21 de dezembro de 2008

AS PESSOAS CONSEGUEM VIVER SEM NADA

Ana Campos, agora com 24 anos, desde os 16 que **persegue a ideia** de fazer voluntariado, de preferência em África, pela qual sempre teve **um grande fascínio**. Foi quando estava a acabar o mestrado que a mãe lhe ligou a falar-lhe da existência dos Leigos para o Desenvolvimento e das missões em África feitas com recurso a voluntários.

A ideia pareceu-lhe uma **boa possibilidade de concretizar** o seu objetivo e, por isso, não hesitou. Partiu para Lichinga, na província do Niassa, Moçambique, para apoiar o projeto Escolinhas Comunitárias do Niassa. Depois de um ano de voluntariado, "que passou muito depressa", sentiu a necessidade de voltar para dar continuidade e consolidar o seu trabalho. Inserida na comunidade local dos Leigos para o Desenvolvimento, acompanha três pré-primárias criadas por iniciativa das populações locais.

Mas o seu trabalho não se esgota no apoio pedagógico dado aos monitores sem qualquer formação na área. Como explica Ana, para que as escolas funcionem "foram criados projetos de autossustentabilidade: uma padaria, um terreno de cultivo, um *atelier* de costura e uma carpintaria". E zelar pelo bom funcionamento desses projetos também faz parte das suas funções, numa **ligação muito estreita** com a comunidade local, "um sítio onde as pessoas conseguem viver sem nada".

Diário de Notícias, 24 de janeiro de 2009

DESPERTAR CONSCIÊNCIAS

Despertar consciências. É essa a principal função (e objetivo) da CAIS, uma associação que existe há mais de dez anos e cuja **faceta mais visível** é a revista vendida pelos sem-abrigo. Hoje, não só responde a situações de crise, através de comunidades de inserção, combate à infoexclusão, projetos e outras atividades que têm a ver com a inclusão, mas também criou projetos de intervenção.

Para Henrique Pinto, diretor da CAIS, "É importante dar de comer e de vestir a quem tem fome ou está nu, mas isso não resolve a situação. O que fazemos é projetar a vida em termos de reconstrução interior. Só depois de as pessoas estarem bem com elas é que poderão pensar em trabalhar, ter uma casa... Por isso, nunca entendemos ter albergues ou casas que acolhessem as pessoas e lhes dessem camas para dormir. Quisemos sempre trabalhar as horas do dia desta população, porque são as mais difíceis. O que a CAIS faz é tentar que as pessoas fiquem **bem por dentro**, e isso implica **sarar muitas feridas**, histórias do passado mal resolvidas, relações com as famílias... Há que trabalhar a autoestima das pessoas, levá-las a confiar novamente em si e nos outros. Queremos que as pessoas possam recuperar a autonomia, ajudá-las a estar bem com a sua própria vida e dar-lhes **asas para reaprenderem a voar**."

Fórum Estudante, setembro de 2008

4.1. **Dos dois trabalhos de voluntariado aqui apresentados, com qual se identifica mais? Em qual deles seria capaz de colaborar? Fundamente a sua opinião.**

4.2. **O que pensa do trabalho de voluntariado? Acredita que a colaboração de cada um faz a diferença? Justifique.**

4.3. **O trabalho de voluntariado é bem divulgado no seu país? Que tipo de missões e de projetos de voluntariado conhece? Já participou em algum? Porquê?**

4.4. De acordo com o sentido dos textos, procure a expressão ou frase com sentido equivalente às que estão destacados.

1. perseguir a ideia de
2. ter um grande fascínio
3. boa possibilidade de concretizar
4. ligação muito estreita
5. faceta mais visível
6. bem por dentro
7. sarar muitas feridas
8. asas para reaprender a voar

- interiormente
- atitude de grande proximidade
- meios para voltar a ser autónomo
- suavizar muitas mágoas
- atividade de maior divulgação pública
- sentir-se atraído
- oportunidade de realizar
- ambiciona

5. Existem várias expressões em português com a palavra "asa". Descubra o significado das que aqui se apresentam.

1. arrastar a asa a	
2. bater a asa	
3. cortar as asas a	
4. dar asas à imaginação	
5. meter-se debaixo das asas de	
6. ter asas	
7. ter asas nos pés	
8. ter um grão na asa	

6. Ouça este excerto de uma reportagem sobre o projeto *Mercearia Solidária* e, depois, classifique como verdadeiras (V) ou falsas (F) as seguintes afirmações.

1. A *Mercearia Solidária* é uma iniciativa recente.	V ☐	F ☐
2. Na *Mercearia Solidária* há descontos em todos os produtos.	V ☐	F ☐
3. A *Mercearia Solidária* permite evitar o desperdício de bens.	V ☐	F ☐
4. Cecília Góis é a promotora deste projeto.	V ☐	F ☐
5. A *Mercearia Solidária* conta já com 142 colaboradores.	V ☐	F ☐
6. Foi a Associação Ação para a Justiça e Paz que pôs em prática este projeto.	V ☐	F ☐
7. Só quem tem bens para trocar pode usufruir desta loja.	V ☐	F ☐
8. Para além de bens, este projeto aceita a oferta de serviços voluntários.	V ☐	F ☐

II. Da ficção à realidade.

1. **Todos os dias nos chegam novas ideias que querem tornar o mundo mais cómodo, mais económico, mais verde... Muitas delas, inicialmente consideradas absurdas e meras ficções, revelaram os seus autores como visionários que, anos mais tarde, viram as suas ideias concretizadas. Até onde poderão os avanços científicos, técnicos e tecnológicos levar a Humanidade?**

ELES, ROBÔS

Os andróides ocupam um lugar especial na galeria de personagens do universo criativo da ficção científica. No cinema, ganharam imensa notoriedade em *Blade Runner – Perigo Iminente* e foram marcando presença constante noutros filmes. Ressurgem agora como personagens centrais em *Os Substitutos*, de Jonathan Mostow. O enredo demonstra um mundo quase contemporâneo, onde 99% da humanidade vive através de autómatos, réplicas mecânicas perfeitas, atraentes, que representam um prolongamento das pessoas e desempenham as suas funções. É um futuro próximo – a ação acontece em 2054 – sem problemas sociais – racismo e criminalidade decresceram drasticamente – e completamente desumanizado. O normal funcionamento das máquinas é posto em causa quando duas pessoas morrem em consequência da eliminação dos seus substitutos. É um caso de polícia e o agente destacado para a investigação descobre uma conspiração corporativa que pode colocar em causa o funcionamento de todos os substitutos e a vida dos seus proprietários. O filme evolui rapidamente para um registo de ação ajustado a um policial, mas nunca perde a dimensão de *thriller* futurista e especulativo sobre o papel que as máquinas desempenham e o que isso representa na evolução da Humanidade.

Sete, outubro de 2009

SERÁ QUE SAYA DIZ "SAIA!" AOS SEUS ALUNOS?

É capaz de expressar facilmente seis emoções graças a 18 motores integrados no seu corpo e possui um léxico composto por setecentas palavras. Chama-se Saya e foi concebida não em nove meses, como os seus alunos, mas ao longo de 15 anos, por uma equipa de investigadores japoneses dirigida por Hiroshi Kobayashi. Para já, dá aulas numa escola primária de Tóquio envergando um saia-casaco amarelado. As notícias não explicam se esta professora-robô inclui entre uma das suas seis emoções a festa carinhosa nos cabelos dos alunos, ou a repreensão austera perante um comportamento mais travesso. A sua memória digital não é uterina nem recorrerá, por certo, à tolerância da lembrança dos seus íntimos momentos de escola. A ciber-professora está com certeza apetrechada par "dar matéria", distribuir tarefas e dificilmente será alvo de agressão física por parte de algum aluno abusador. Mas de toque morno e detentora daquele odor adocicado que guardamos na tão intensa memória olfativa da nossa infância é que não parece mesmo nada que seja capaz.

Tempo Livre, maio de 2009

1.1. **A máquina ao serviço do homem ou a máquina em vez do homem? Dê a sua opinião sobre estas duas maneiras de perspetivar a utilização das "máquinas", salientando vantagens/desvantagens de uma e de outra.**

1.2. **Acredita que algum dia se chegará a uma Humanidade que *"vive através de autómatos, réplicas mecânicas perfeitas, atraentes, que representam um prolongamento das pessoas e desempenham as suas funções"* ou a uma sala de aulas com a *"professora Saya"*? Fundamente a sua opinião.**

2. Como será a vida nas cidades do futuro?

Leia o artigo seguinte que deixa entrever algumas possibilidades tecnológicas que poderão revolucionar a vida quotidiana daqui a vinte anos.

CIDADE DO FUTURO

CARROS

Os carros do futuro serão pequenos e andarão num corredor próprio, tipo *bus*. Por serem de um material leve e maleável, estacionam-se como carrinhos de supermercado. Na hora de vir embora, é só tirar o último, uma vez que são todos iguais e compartilhados. O serviço será pago mensal ou anualmente.

ENERGIA

Caminhar vai passar a ser um dos atos mais altruístas que o cidadão do futuro poderá fazer, uma vez que vai gerar eletricidade com o andar. É que os passeios terão blocos intervalados que cedem ligeiramente à pressão dos pés e geram eletricidade através de dispositivos colocados no solo. Esta tecnologia será também aplicada em ginásios e noutros locais de intensa atividade humana, como discotecas.

ÁGUA

Os sistemas de rega não mais servirão para salpicar calças, assustar chihuahuas no passeio da manhã e desperdiçar centenas de litros de água potável todos os dias. Os sensores vão medir a humidade no solo e usar informação meteorológica para regular a necessidade de água. Os telhados vão ter canais especiais para aproveitar a água da chuva, enquanto as cidades costeiras terão dessalinizadores para aproveitar a água do mar.

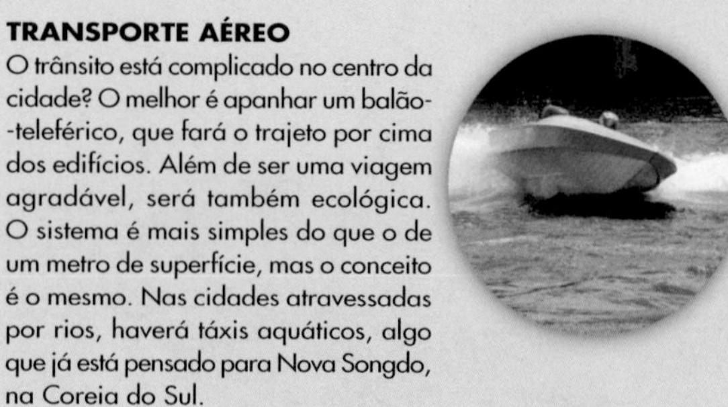

TRANSPORTE AÉREO

O trânsito está complicado no centro da cidade? O melhor é apanhar um balão-teleférico, que fará o trajeto por cima dos edifícios. Além de ser uma viagem agradável, será também ecológica. O sistema é mais simples do que o de um metro de superfície, mas o conceito é o mesmo. Nas cidades atravessadas por rios, haverá táxis aquáticos, algo que já está pensado para Nova Songdo, na Coreia do Sul.

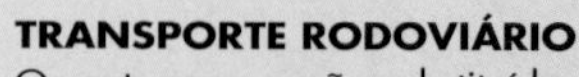

TRANSPORTE RODOVIÁRIO

Os autocarros serão substituídos por veículos ecológicos sem condutor, equipados com sensores de movimento, distância e posicionamento global. Serão mais seguros que o olho humano, uma vez que o travão é acionado assim que o sensor deteta a proximidade de uma pessoa. A tecnologia poderá incluir rotas fixas em carris ou estruturas semelhantes.

CHIPS

Haverá milhares de *chips* nas casas, nas roupas e nos equipamentos. As casas terão funções inteligentes e autónomas – por exemplo, sensores colocados no soalho da casa de um idoso poderão identificar uma queda e acionar a emergência mesmo que a pessoa esteja inconsciente. *Chips* na sanita irão informá-lo do excesso de açúcar no sangue ou do colesterol muito elevado.

i, 10 de outubro de 2009

2.1. **O que pensa desta previsão? Acha-a concretizável? Em que aspetos? Gostaria de viver numa cidade assim? Porquê? O que mais o atrai? E o que mais lhe desagrada? Partilhe as suas ideias com os seus colegas.**

2.2. **E você, é capaz de fazer um prognóstico da cidade do futuro? Se estivesse nas suas mãos, como a construiria? Confronte a sua visão com a dos seus colegas.**

III. Utopia.

1. **Leia o texto que se segue sobre a utopia da criação de um homem bom e justo num mundo perfeito.**

Aos 100 anos, o olhar ainda lhe fabrica mundos invisíveis, porventura impossíveis, mas reais no seu imaginário inquieto. Na recente entrevista dada à RTP, ia ainda Manuel de Oliveira com **escassos** minutos de conversa e já estava a anunciar um novo filme, construído a partir de uma ideia para resolver a atual crise económica mundial. O argumento ainda só o tem na cabeça, mas **espera** ter tempo para o concretizar. "Seria tudo muito simples, e a crise resolver-se-ia de um dia para o outro", explicou. Bastaria acabar com o dinheiro. Os bancos fechavam e transformavam-se em museus. "Era um mundo mais feliz e muito utópico", concluiu o cineasta.
Ao longo dos tempos, desde Plutarco (46-119 a.C.), a **abolição** do dinheiro e da propriedade privada como modo de aperfeiçoar a Humanidade tem sido uma **constante** do pensamento utópico.
O pensamento utópico, por uns visto como felizmente **impraticável**, por outros entendido como **indispensável** à evolução das sociedades, tem preenchido o imaginário dos homens desde que há registos históricos. O **desejo** de criar uma comunidade ideal, feita de homens bons e justos, inseridos na cidade perfeita, era demasiado tentador para deixar de ser explorado, sempre à custa da destruição do mundo existente, por definição injusto, intolerante e castrador. O irresolúvel problema tem sido o da impossibilidade de encaixar as pessoas reais, nós, os humanos, com todos os defeitos que nos **caracterizam**, naqueles espaços imaginários, surgidos como produto da crença de que o homem pode prognosticar o futuro, mesmo se o futuro nunca chega.
O neologismo "utopia" foi criado em 1516 por Thomas More a partir das palavras gregas para "não" *(ou)* e "lugar" *(topos)*, o que nos remete para o "não lugar", ou o lugar nenhum, só realizável através de uma construção mental. **Contudo**, já muito antes outras utopias, formais ou informais, tinham sido formuladas, com nomes tão diversificados como Paraíso, Jardim do Éden, Terra Prometida, Cidade das Mulheres.
Depois vieram infindáveis exemplos de propostas utópicas, como: a "Nova Atlântida", de Francis Bacon, porventura a primeira novela a **antecipar** a importância da ciência na vida dos homens; "As viagens de Gulliver", lançadas por Jonathan Swift, em 1726, em que cavalos racionais vivem em harmonia, decência e civilidade e onde são desconhecidas as referências diabólicas da vida humana, como o dinheiro, o álcool, ou o desejo; "A Nova Amazónia", da feminista Elizabeth Corbett, datada de 1889; ou, num registo distópico, por oposição ao otimismo do pensamento utópico, obras como "Admirável Mundo Novo" (1932), de Aldous Huxley, ou "1984", publicado em 1949 por George Orwell.
Também novo e admirável é o mundo em que vivemos agora, **embora** outro seja o contexto. Infinitos universos estão a ser criados e destruídos a cada dia nesse não lugar por excelência chamado *internet*. A pulsão utópica não morreu. O exemplo maior será o de Bergonia *(www.bergonia.org)*, porventura o sítio que mais longe terá levado a criação de um país imaginário. Chega a ser perturbante a pormenorizada descrição da nação e de todas as suas componentes. Aquele país, concebido na rede ao longo de 18 anos pelo advogado norte-americano Joe Cometti, propõe ser uma "República Democrática", composta por 31 regiões, de modo a **assegurar** a sua faceta multicultural e multilinguística.

Valdemar Cruz, "O sonho perpétuo", *Única*, 27 de junho de 2009 (adaptado)

1.1. De acordo com o sentido do texto, substitua as palavras destacadas por outras com valor equivalente.

1. escassos minutos	
2. mas espera ter tempo	
3. a abolição do dinheiro	
4. uma constante do pensamento	
5. felizmente impraticável	
6. indispensável à evolução	
7. O desejo de criar	
8. defeitos que nos caracterizam	
9. Contudo, já muito antes	
10. antecipar a importância	
11. embora outro seja o contexto	
12. de modo a assegurar	

1.2. Faça o levantamento das características apontadas no texto como impeditivas da *criação de um homem bom e justo num mundo perfeito.* Depois, indique as que deveriam existir em seu lugar para que essa utopia o deixasse de ser.

DEFEITOS	QUALIDADES

1.3. Faça uma listagem de pequenos gestos e ações que, na sua opinião, podem contribuir para um quotidiano mais perfeito, justo e humanizado. Confronte a sua proposta com a dos seus colegas.

B. GRAMÁTICA e VOCABULÁRIO

1. Recorrendo aos prefixos que a seguir se apresentam, encontre o contrário das palavras indicadas.

PREFIXO	SIGNIFICADO
i (antes de palavras começadas por *l*, *m* ou *n*)	negação ação ou ideia contrária privação
in (se a palavra começa por *h*, este desaparece)	
im (antes de palavras começadas por *p* ou *b*)	
ir (antes de palavras começadas por *r*)	
des (se a palavra começa por *h*, este desaparece)	
anti	oposição ação contrária

	PALAVRA DERIVADA		PALAVRA DERIVADA
1. depressivo		17. fiel	
2. puro		18. unido	
3. agradável		19. habituado	
4. responsável		20. derrapante	
5. satisfeito		21. justo	
6. capaz		22. enrugado	
7. constitucional		23. ciclónico	
8. cómodo		24. reverente	
9. hábil		25. permeável	
10. real		26. útil	
11. prudente		27. habitável	
12. ativo		28. produtivo	
13. aéreo		29. feminista	
14. legítimo		30. próprio	
15. enquadrado		31. certo	
16. humano		32. legal	

2. Utilize as conjunções adequadas para completar a notícia.

porque	quando	para que	se	enquanto	como

DENTISTAS COM ROBÔ QUE "SENTE" DORES

Um grupo de 88 estudantes da Universidade de Showa, em Tóquio, testou com sucesso um robô que reage à dor ________________ está a ser tratado pelo dentista.

Desta forma, o Japão deu mais um passo em frente no ensino da Medicina Dentária. "Esta é uma maneira de os estudantes aprenderem corretamente antes de terem de lidar com alguém de carne e osso, ________________ para aprender é preciso errar", sustentou o vice-diretor da Universidade, Koutaro Maki, citado pelo jornal espanhol *El Mundo*.

O robô, que mede pouco mais de um metro e meio, tosse, faz gestos com a boca e outros movimentos voluntários ________________ o médico perceba ________________ o tratou de forma mais "brusca". Para além disso, também saliva, ________________ qualquer pessoa deitada na cadeira do dentista, e fecha a boca ________________ a tem aberta há demasiado tempo.

metro, 31 de março de 2010

3. Recorde os seguintes pronomes relativos variáveis.

o qual	**– concordam em género e número com o antecedente**
os quais	**– geralmente são precedidos de uma preposição** (*por; para; com; de; sem; em*)
a qual	**Ex:** *O filme* ***do qual*** *eu te falei ganhou o primeiro prémio do Festival de Tróia.*
as quais	

3.1. Complete com um pronome relativo variável, precedido da preposição adequada.

1. As pessoas ________________ o Presidente da Junta tanto lutou conseguiram finalmente uma habitação condigna.
2. O partido ________________ eu votei não alcançou mais do que 10% dos votos.
3. O compromisso ________________ ele conseguiu tantos votos era bem simples: os impostos não aumentariam nos próximos anos.
4. Os manifestantes ________________ ocorreram os confrontos eram do partido ________________ as sondagens não deram grande importância.

······>

5. A educação para os direitos humanos e a problemática dos sem-abrigo é a preocupação ______________ a CAIS gostaria de desenvolver um projeto especificamente votado para as escolas.

6. Há causas que podem não envolver uma nação, mas que são causas ______________ muita gente se sente impelida a oferecer um pouco de si.

7. *NightOut*, desenvolvido pela Associação CAIS, é uma festa ______________ é valorizado o trabalho social através da música e das artes.

8. África é um continente ______________ muitas ONG desenvolvem projetos com recurso ao trabalho voluntário.

3.2. Construa uma só frase, utilizando um pronome relativo variável para unir as duas frases apresentadas.

1. O apoio de todos os munícipes foi fundamental. Sem esse apoio, o candidato nunca teria ganho com tanta vantagem.

____

2. A Quercus tem-se debatido por uma causa de extrema importância. Isso trouxe-lhe reconhecimento mundial.

____

3. Vários jovens fizeram a limpeza da floresta com os bombeiros. Trata-se de jovens muito responsáveis e empreendedores.

____

4. O Movimento dos Sem-Terra (MST), no Brasil, reclama a devolução das terras. O governo apropriou-se ilicitamente dessas terras.

____

5. O voluntariado é uma atitude cívica. Com o voluntariado auxilia-se muita gente necessitada.

____

6. O Estado não tem capacidade para resolver todos os problemas sociais. Ainda há quem encare o trabalho voluntário como um dever das pessoas para resolver esses problemas.

____

7. Na *Mercearia Solidária* não há dinheiro oficial. Nesta loja, acede-se a bens e serviços através da troca dos mesmos.

____

4. Complete as frases com o verbo adequado e no tempo correto.

acabar de	acabar por	começar a	continuar a	deixar de	passar a

1. Se cada um de nós ______________ olhar um pouco menos para o seu umbigo e mais para os outros, talvez consigamos melhorar um pouco o mundo.
2. Os ativistas do MST não ______________ lutar por aquilo em que acreditam, apesar das inúmeras represálias de que têm sido alvo.
3. Talvez o exemplo da *Mercearia Solidária* faça com que outras localidades ______________ implementar projetos semelhantes.
4. Se o homem ______________ privilegiar o materialismo, um mundo mais justo nunca ______________ ser uma mera utopia.
5. Muitos voluntários ainda mal ______________ regressar de uma missão e já pensam em ______________ colaborar noutra.
6. Apesar das diversas ações contra a corrupção, muitos prevaricadores ______________ conseguir escapar ilesos.

5. Os verbos dar, ficar e passar adquirem sentidos diferentes consoante a preposição que com eles se utiliza.

De acordo com o contexto, escolha a preposição adequada para completar as frases.

1. Quando os colaboradores da *Mercearia Solidária* lá vão e não têm bens para a troca naquele momento, ficam __________ passar __________ lá depois com o que entretanto arranjarem.
2. É frequente só se dar __________ fraudes muito depois de elas terem sido cometidas, mas, geralmente, aqueles que falsamente passaram __________ honestos aos olhos do grande público acabam por ser desmascarados.
3. Apesar do enorme apoio e dedicação dos voluntários, fica sempre muito __________ fazer e dizer.
4. Lamentavelmente, alguns dos que ocupam cargos públicos não passam __________ uns oportunistas que lá estão em benefício próprio: as promessas feitas, ou ficam __________ nada ou ficam __________ última prioridade.
5. Muitas das ideias previsivas do futuro não deram __________ nada, mas muitas outras obtiveram confirmação.
6. Eu cá não dava __________ voluntário em certas missões, pois não tenho a resistência necessária para enfrentar o sofrimento e a miséria em que muitas pessoas vivem.
7. Por tristes circunstâncias da vida, passar __________ cidadão comum __________ sem-abrigo é uma realidade difícil de aceitar. Por isso, a muitos deles dá-lhes __________ a embriaguez como evasão à mágoa e à revolta.

C. ORTOGRAFIA e PRONÚNCIA

1. Complete as palavras com g ou j. Em seguida, ouça as palavras para confirmar o som.

G [ʒ]	ou	J [ʒ]

requei___ão	gara___em	laran___a	___angada	___eleia
dese___o	___untar	su___ar	via___em	relo___oeiro
pre___uízo	tan___erina	meteorolo___ia	baga___em	en___oar
___inástica	___in___a	su___estão	re___ião	pá___ina
a___enda	a___udar	via___ar	alo___amento	___igante
re___uvenescer	quei___o	fin___imento	___ardim	___arra
___asmim	a___itação	___oelho	ur___ência	___ornalista
___entileza	reporta___em	re___eição	ve___etação	reló___io

"Uma ponte entre quem quer dar... e quem precisa de receber."

Que diferentes motivações levarão as pessoas ao exercício do voluntariado? Que características terão essas pessoas que se dão aos outros sem nenhuma contrapartida material? Terão algum ganho em termos pessoais?

É este o tema que deverá desenvolver, num artigo de opinião que escreverá para o jornal da sua região (120 a 150 palavras), salientando a importância do voluntariado para a construção de um mundo melhor. Não se esqueça de salientar que as áreas de atuação são inúmeras e podem ser escolhidas em função das características e disponibilidades de cada um.

Temos uma causa para si.
Dá-nos um pouco do seu tempo?

O **voluntário** escolhe onde pretende realizar a sua atividade, de acordo com as suas

- aptidões
- disponibilidades de tempo
- áreas de interesse
- preferências de localização

Pode

- selecionar uma causa ou necessidade social
- procurar uma instituição ou organização perto do local da sua residência
- participar numa ação pontual

A procura pode ser feita por

- área de atuação
- destinatários
- especialidade
- freguesia
- código postal

Depois de pesquisar e encontrar a instituição ou organização, estabeleça contacto direto. Se não obtiver resposta imediata, inicie uma nova busca. O seu tempo é muito valioso: há quem precise de si.

http://www.bolsadovoluntariado.pt

E. TAREFA

1. Consulte a página da Bolsa do Voluntariado (http://www.bolsadovoluntariado.pt), escolha uma das organizações aí registadas e apresente-a aos seus colegas, referindo a área ou áreas de atuação, o tipo de público a que se destina, que género de colaboração podem os voluntários prestar...

ou

2. Pesquise sobre uma dessas organizações no seu país cujo trabalho aprecie e apresente-a aos seus colegas, salientando os motivos pelos quais considera importante a sua atividade.

ou

3. Faça uma pesquisa sobre *"o sítio que mais longe terá levado a criação de um país imaginário"* em *www.bergonia.org* e prepare uma apresentação aos seus colegas, evidenciando o que distancia esse mundo virtual do nosso mundo real.

MEIOS DE COMUNICAÇÃO

UNIDADE 7

I. Sinais dos tempos: o mundo num instante.

Cada vez mais facilmente o mundo chega até nós. E cada vez mais facilmente podemos dizer e mostrar aos outros o que nos está acontecer, o que pensamos, o que defendemos...
As novas tecnologias da informação e da comunicação vieram para ficar. Revolucionaram o mundo, o individual e o coletivo, a informação, o saber, a maneira de estar e de pensar, as relações interpessoais...

1. **O jornal *Expresso* e a revista *Visão* estão de parabéns. Leia os três textos e saiba porquê.**

EXPRESSO ASSINALA EDIÇÃO 2000

UMA VIAGEM A DUAS FORMAS DE VIDA.

Entre a primeira edição do *Expresso* e a atual mudaram os objetos que hoje tornam a vida mais fácil. Mas arejou-se a mentalidade, criaram-se novos costumes, ganharam-se outras rotinas, pessoais e coletivas.
É um mundo de diferenças entre 1973 e o presente.

O *Expresso* chegou às bancas num outro país. Chamavam-lhe Portugal, mas na comparação com 2011 não há correspondência que se ajuste. Volta-se atrás 38 anos, apaga-se uma revolução, sai-se da União Europeia, troca-se a democracia pela ditadura e descobre-se uma terra vazia de gente pela emigração e pela Guerra Colonial, de opiniões censuradas a lápis azul, de mulheres com poucos direitos, de homens cheios deles.
Geração vertiginosa. A Revolução acelera tudo. Dá-lhes a maioridade aos 18 anos, dá-lhes poder, e a publicidade escolhe-os para novo alvo. Hoje são os jovens que ditam tendências num mundo feito no computador. A velocidade da evolução desmaterializou o quotidiano de 2011. O dinheiro quase desapareceu em função do multibanco. Fazem-se levantamentos e pagamentos sem lhes ver a cor. Os sais de prata das fotografias viram píxeis e alojam-se em máquinas de bolso e telemóveis. A música chama-se mp3 ou 4 ou outro formato digital. Cartas, postais ou papelinhos contrabandeados nas aulas transformam-se em *sms* e *e-mails* cheios de k e vazios de assentos. Até os amigos perderam existência física. Agora vivem na *internet* e alimentam números de socialização no *Facebook* ou cultivam batatas no *Farmville*.

Raquel Monteiro, *Expresso*, revista especial comemorativa da edição número dois mil, 26 de fevereiro de 2011 (adaptado)

DA *BRASILEIRA* AO *FACEBOOK*

O café era o ponto de encontro de amigos e intelectuais, em 1973. Nos cafés se desabafavam desgostos de amor, se preparavam negócios, se congeminavam revoluções. Em Lisboa, *A Brasileira*, ou o *Palladium*, o *Monte Carlo* ou o *Vá-Vá*, o espaço no último andar da livraria Opinião, ou a sala de chá do Eduardo Martins eram os '*sites*' de uma rede social que se foi desfazendo, demolida por agências bancárias e pela pressão dos tempos. As tertúlias passaram, entretanto, para casa e para a *internet*. *Facebook*, *Twitter* e *Messenger* recolhem hoje as conversas de fim de dia.

António Costa Santos, *Expresso*, revista especial comemorativa da edição número dois mil, 26 de fevereiro de 2011 (adaptado)

1993... parece-lhe que foi ontem? Então pense nisto: a não ser que, na altura, trabalhasse na NASA, o caro leitor não tinha telemóvel, GPS, *internet* e, provavelmente, nem computador; ia ao videoclube alugar filmes em VHS; se queria dar uma perninha num videojogo com gráficos decentes, tinha de ter no bolso uma moeda de 50 escudos (sim, escudos); as máquinas fotográficas eram de rolo; ***mail*** era correio em inglês, *Amazon* um rio, *Facebook* e *YouTube* palavras coladas ao acaso e googlar não significava nada; Quioto não passava de uma cidade japonesa; as televisões mais modernas tinham meio metro de fundo; o Concorde voava, Macau era administrado por Portugal e Timor-Leste governado pela Indonésia. Ainda lhe parece que 1993 foi ontem?

1993 – é inventado o mp3: quando o alemão Karlheinz Brandenburg começou a trabalhar na compressão de ficheiros áudio, não imaginava que estava a revolucionar o mundo da música. Afinal, o mp3 era apenas um truque para guardar mais que meia dúzia de canções nos limitadíssimos discos rígidos dos computadores da altura (no espaço de uma música passava a caber um álbum inteiro). No entanto, o crescimento da *internet*, e sobretudo a banda larga, nos anos seguintes, deram um papel diferente à sua criação, que se tornou um meio para facilitar o ***download***.

1995 – telemóvel para todos: por mais irritantes que fossem os anúncios, a verdade é que há um tempo antes do mimo e outro depois. O serviço de chamadas pré-pagas da TMN foi pioneiro a nível mundial e ajudou a massificar o telemóvel, até aí considerado um brinquedo de luxo, com as suas dispendiosas assinaturas. Poucos anos depois, quem não tinha telemóvel era considerado um excêntrico.

1995 – **a *Amazon* fica *online*:** expoente da globalização proporcionada pela *internet*, por causa dela quase toda a gente tem acesso a quase tudo. Começou por ser uma singela livraria virtual...

1997 – é registado o domínio ***Google.com***; a empresa seria formalmente fundada um ano mais tarde.

1998 – é posto à venda o primeiro **leitor portátil de mp3**, praticamente do tamanho de um *Walkman*. A Phillips lança a primeira **televisão de ecrã plano**.

1999 – a *Microsoft* lança a versão 1.0 do ***MSN Messenger***, popularizando as conversas virtuais.

2000 – chega ao mercado a primeira ***flash drive USB***.

2001 – nasce a ***Wikipedia.***

2004 – Zuckerberg funda o ***Facebook***. *Hi5*, *Friendster*, *MySpace* – todos eles falharam. O *Facebook* cortou-lhes a cabeça. Hoje, mais de 600 milhões de pessoas têm uma conta no *Facebook*.

2005 – surge o ***YouTube***: está para o século XXI como a televisão esteve para o século XX: é a outra caixa que mudou o mundo. Neste caso, uma caixa virtual.

2006 – a ***Wikileaks*** fica *online*.

2010 – a *Apple* lança o ***iPad***.

Luís Ribeiro, *Visão*, 31 de março de 2011 (com supressões)

1.1. De acordo com os três documentos, diga se as afirmações são verdadeiras (V) ou falsas (F).

1. *VISÃO* e *Expresso* são duas publicações de imprensa bastante recentes.	V ☐	F ☐
2. O *Expresso* surgiu primeiro noutro país e só depois veio para Portugal.	V ☐	F ☐
3. O *Expresso* é um jornal posterior à Revolução do 25 de Abril de 1974.	V ☐	F ☐
4. A *VISÃO* é uma publicação mais recente do que o *Expresso*.	V ☐	F ☐
5. Segundo a revista *VISÃO*, a enorme evolução da sociedade e do mundo dá a impressão de que já passaram mais de 18 anos desde a sua 1.ª edição.	V ☐	F ☐
6. Estas duas publicações estão de parabéns por motivos diferentes.	V ☐	F ☐
7. Ambas as publicações assistiram a enormes transformações em Portugal e no mundo.	V ☐	F ☐
8. Quer os artigos do *Expresso* quer o da *VISÃO* evidenciam as alterações que o mundo tecnológico trouxe à vida portuguesa.	V ☐	F ☐

1.2. Transcreva a(s) frase(s) do texto que confirme(m) as seguintes afirmações.

1. Há quarenta anos, Portugal era um país completamente diferente.

2. No ano em que o *Expresso* surgiu, o sistema político português não era democrático e não havia liberdade de expressão.

3. Quando o *Expresso* e a *VISÃO* nasceram, não havia o euro e os portugueses usavam ainda a moeda nacional.

4. As mensagens de telemóvel e de correio eletrónico alteraram a maneira de escrever dos portugueses.

5. Com a *internet*, o convívio e a troca de opiniões entre amigos deslocaram-se do espaço físico para o virtual.

6. A Era Digital transformou por completo o mundo da fotografia e da música.

7. Antes do advento da *internet*, as palavras "mail" e "Amazon" significavam uma única realidade, diferente da atual.

8. Há duas décadas, o telemóvel era acessível apenas a um grupo restrito de pessoas.

II. Informar, comunicar, participar, criticar, expressar, ouvir, ver...

O desenvolvimento exponencial da *internet* e das tecnologias *online* estão a alterar profundamente os hábitos dos portugueses. A sociedade que emergiu desta revolução tecnológica é profundamente diferente da que existia há vinte anos... e os *media* acompanham-na.

1. **Estará a imprensa condenada a desaparecer? Procure uma resposta no seguinte artigo.**

HÁ CADA VEZ MENOS PAPEL NO CONCEITO DE JORNAL

Em dez anos perderam-se quase cem mil compradores de jornais diários. Mas os leitores estão a aumentar noutras plataformas. A imprensa está a ir ao seu encontro.

Os números de vendas dos jornais apresentam uma tendência generalizada de queda e Portugal não é exceção. Mas há também cada vez mais sinais de vitalidade na busca de alternativas para chegar aos leitores e gerar receitas. A aposta no *iPad* é o mais recente exemplo.

As teorias mais pessimistas têm uma explicação simples. Nos últimos dez anos a média de vendas dos diários generalistas em Portugal caiu 17%. Em 2010 venderam-se, em média, menos 62 mil jornais por dia do que em 2001. Nos diários desportivos, o cenário mantém-se: os únicos títulos auditados, "Record" e "O Jogo", vendem, em conjunto, menos 34 mil exemplares por dia. Nos semanários a quebra é de 47 mil exemplares.

Crise? Estes números indicam que sim. Mas os agentes do sector contestam: o papel pode estar a perder terreno, mas o futuro dos jornais joga-se cada vez mais na lógica de marcas de informação multiplataforma.

Luís Santana, da Cofina, proprietária de títulos como "Correio da Manhã", "Record" ou "Sábado", vai mais longe: "O mundo não vive sem imprensa, livre, independente, credível e com capacidade diferenciadora nos dossiês de investigação. As notícias sobre a sua morte são, por isso, exageradas. Deve haver, a cada momento, um progressivo ajustamento ao mercado".

Ajustamento esse que, como diz Pedro Norton, da Impresa – grupo que detém o "Expresso", a "SIC" e a "Visão" – pressupõe uma capacidade de reinvenção que leve os jornais a outros domínios: eventos, conferências, aplicações para plataformas móveis ou acordos com rádios e televisões. E cita os exemplos do "Expresso", "Visão" e "Blitz" para defender que "qualquer uma destas marcas deixou de ser exclusivamente uma marca de imprensa".

A inevitabilidade da morte dos jornais é, aliás, colocada igualmente em causa por outros números: títulos como o "Correio da Manhã", o "Expresso" ou a "Visão" conseguem manter níveis de venda acima dos 100 mil exemplares; nas revistas conseguiu-se gerar, numa década, 68 mil novos leitores semanais.

Isto sem contar com as audiências das edições *online*. "Os grupos de imprensa não podem cingir-se à visão do papel. Os novos meios já fazem parte do modelo de negócio", diz Rolando Oliveira, da Controlinveste, dona do "Diário de Notícias" e do "Jornal de Notícias". E a verdade é que os *sites* dos jornais permitem acompanhar a mudança de hábitos de consumo de *media* das novas gerações e compensar a diminuição de contactos na venda em banca. Um exemplo: os diários desportivos vendem menos, mas os *sites* são minas de tráfego. "A Bola" e o "Record" geraram em janeiro 22,5 e 17,1 milhões de visitas.

Adriano Nobre, *Expresso*, 5 de março de 2011 (com supressões)

1.1. **Faça o levantamento dos argumentos em que se baseiam os que preveem o desaparecimento da imprensa e os contra-argumentos dos que preconizam a sua evolução.**

ARGUMENTOS	CONTRA-ARGUMENTOS

1.2. **Sintetize, por palavras suas, a conclusão final a que chegou sobre o futuro da imprensa.**

1.3. **Comente a afirmação de Luís Santana: "O mundo não vive sem imprensa, livre, independente, credível e com capacidade diferenciadora nos dossiês de investigação."**

1.4. **Na sua opinião, o que levará as pessoas a trocarem a leitura dos jornais e revistas tradicionais por publicações *online*? Quais as vantagens? E desvantagens, não existirão também? Analise a questão com os seus colegas.**

1.5. **E você, costuma ler jornais/revistas? Imprensa generalista ou especializada? Que tipo de artigos prefere? Conhece algumas publicações portuguesas? Quais?**

2. **E a rádio, terá futuro? Também procurará soluções alternativas?**
Leia o seguinte apontamento sobre as dificuldades passadas e os desafios futuros da rádio.

A rádio, ao longo das últimas décadas, foi obrigada a adaptar-se às mais diversas circunstâncias: aparecimento da televisão, mudança dos hábitos das pessoas ou predomínio da imagem, para citar alguns dos desafios. Hoje em dia, é em torno da *internet* que se colocam algumas das principais questões quanto ao futuro da telefonia sem fios.
A relação entre a *internet* e a rádio foi precisamente um dos temas predominantes do ciclo de conferências "Rádio em Congresso", que juntou diversos especialistas em Lisboa.

http://www.rr.pt/informacao_detalhe.aspx?fid=96&did=148212 (com supressões)

2.1. **O que tem levado a rádio a resistir tantos anos? Será ela capaz de enfrentar os desafios futuros? De que modo? A que estratégias deverá recorrer? Será a *internet* um aliado ou um inimigo da rádio? Debata a questão com os seus colegas.**

2.2. **Rui Pêgo, diretor de programas da RDP, esteve presente no ciclo de conferências acima referido. Ouça os dois excertos do seu testemunho sobre o futuro da rádio e complete a sua transcrição.**

CASAMENTO PERFEITO

A *internet* é um ______________ natural da rádio. ______________ que há um casamento perfeito entre rádio e *net*. ______________, hoje não se pode pensar em rádio sem se pensar em multiplataforma, *net*, aplicações para os *hiphones*, os *tablets* e ______________. Mas ______________ eu que é um casamento perfeito, porque as coisas só se ______________ quando se complementam. E, de facto, a *net* e a rádio complementam-se. A rádio é muito ______________, tem uma capacidade ______________ de se misturar com outros meios, usa como sua ______________ o som e, portanto, o som é o centro de tudo, e acrescenta, no casamento com a *net*, acrescenta imagem, acrescenta texto. E portanto, digamos que essa relação é uma relação para a ______________.

http://rr.sapo.pt/informacao_detalhe.aspx?fid=30&did=7000

FUTURO GARANTIDO

O futuro da rádio está ______________ por ele próprio, não é? Por aquilo que é a sua grande capacidade de ______________, não é? Quando nós falamos, hoje, em comunidades ______________, não é, não estamos a dizer mais do que aquilo que a rádio foi ______________ ao longo dos anos. Digamos que desde que o ______________ foi introduzido, que a rádio ganhou uma ______________ que nem a televisão nunca ___________, apesar de hoje ser muito mais ___________, não conseguiu atingir.

http://rr.sapo.pt/informacao_detalhe.aspx?fid=30&did=7000

3. Leia a seguinte iniciativa das rádios portuguesas e dê a sua opinião.

A RÁDIO FAZ SORRIR OS PORTUGUESES!

Esta sexta-feira, liga-te à rádio!
18h

3 de fevereiro de 2011

As rádios portuguesas unem-se hoje numa grande operação em simultâneo a partir das 8h00 da manhã, culminando num grande momento às 18h00 em todos o país.

Às 8h00, às 9h00 e às 18h00, de norte a sul do país e ilhas, quem estiver ligado a qualquer rádio, vai receber à hora certa um convite para um grande momento - a Rádio convida a olhar ao seu lado, receber um sorriso e retribuir. Depois do efeito surpresa das 8h00 e das 9h00 da manhã, queremos às 18h00 mobilizar todos, de norte a sul do país, para, em conjunto, pôr Portugal a sorrir.
Ao longo do dia para esta mobilização nacional haverá uma presença contínua nas antenas das rádios.
A televisão e as redes sociais irão permitir também acompanhar toda a iniciativa, mostrando tudo o que se passa: comentários, reações e os momentos mais emocionantes e divertidos.
Esta sexta-feira, a Rádio, toda a Rádio, propõe-lhe um sorriso!

http://ww1.rtp.pt/icmblogs/rtp/comunicacao/?A-RADIO-FAZ-SORRIR-OS-PORTUGUESES.rtp&post=30597 (com supressões)

3.1. Conhece outras iniciativas da rádio? Quais? É capaz de sugerir alguma que ache que agradaria aos ouvintes?

3.2. Trace o perfil radiofónico de um dos seus colegas e, depois, apresente-o ao grupo. Aqui ficam algumas questões possíveis:

Costuma ouvir rádio? Em que momentos? Prefere as rádios nacionais ou as locais? Qual é a sua estação preferida? Que tipo de emissões gosta mais de ouvir? Já participou em algum programa? Considera que a interatividade com os ouvintes é vantajosa? Gosta de ouvir a participação das pessoas nos programas de rádio? Que vantagens oferece a rádio relativamente aos outros *media*?

4. Tal como a imprensa escrita e a rádio, também a televisão se confronta com a omnipresença da *internet* e da tecnologia na vida dos telespetadores, o que alterou, e vai continuar a alterar, o panorama televisivo e a maneira de vermos televisão.

HÁ 10 ANOS

Anunciava-se uma verdadeira revolução: o grande destaque da capa da *SUPER 34* ia para a nova televisão que estava a formar-se no horizonte. Lamentavelmente, a nossa bola de cristal (que no geral se mostrou correta) não detetou o extraordinário sucesso dos *smartphones* e via com hesitação a convergência entre a *internet* e a emissão televisiva. Neste preciso momento, estamos a meses de começar a ser dado como obsoleto o sistema de transmissão analógica do sinal, uma das consequências do facto de a TV se ter tornado progressivamente um conteúdo do mundo digital, que pode ser transportado num bolso para todo o lado. Entretanto, o artigo mencionava também a maior participação do telespectador, que passava a ser um utilizador de pleno direito. Além de poder filtrar a publicidade, nem que seja fazendo *zapping*, cada consumidor do produto televisivo cria hoje o seu menu pessoal de programas, que pode ver no telemóvel, na *internet* ou no televisor da sala, acabando com as intermináveis discussões sobre a posse do telecomando, e também com a ditadura dos horários impostos pelas estações. Aquilo a que se poderia ter assistido, mas ainda não aconteceu, era uma evolução no nível da programação televisiva. Talvez esta tragédia fosse previsível. Os primeiros a abandonar a TV generalista serão sempre os que têm meios (dinheiro e conhecimento) para o fazer, deixando para trás, para serem contabilizados nas audiências, os membros das classes com maior inércia cultural. De uma forma simplista, podemos prever que, de mês para mês, vá havendo cada vez menos telespectadores das classes A e B e mais das classes C e D. Serão estes derradeiros "espectadores da grelha" mais ávidos da "TV-lixo"? É uma possibilidade. Outra é que, desaparecidos os que podiam criticar e fazer-se ouvir, os programadores entendem que vale tudo para vender detergentes, seguros e telemóveis, sabendo à partida que a grelha das estações é o único divertimento a que têm acesso estes últimos telespectadores.
Esperamos ainda poder vir a fazer, um dia, uma capa com o título "A nova televisão", para comemorar o facto de ter mudado esta sina.

SUPER INTERESSANTE 154, fevereiro de 2011

4.1. De acordo com o sentido do texto, escolha na coluna B o fim correto para cada início de frase da coluna A.

COLUNA A	COLUNA B
1. Este artigo toma como ponto de partida	☐ é uma realidade que o presente artigo reconhece como incontornável.
2. No artigo de há dez anos,	☐ e pôs fim à lógica de "os programadores decidem, os telespectadores veem".
3. Que o futuro da televisão passaria pela *internet*	☐ ficam à mercê das grelhas de programação das televisões.
4. Ter televisão em qualquer lugar e em qualquer plataforma	☐ a qualidade da programação das televisões generalistas não se alterou.
5. A relação do telespectador com a televisão já não é unidirecional	☐ um outro da mesma revista publicado há uma década atrás.
6. Apesar de toda a evolução tecnológica,	☐ era uma ideia em que a *Superinteressante* não acreditava muito.
7. Os mais fragilizados económica e culturalmente	☐ um dia publicar um artigo sobre a alteração da qualidade das televisões generalistas.
8. A *Superinteressante* tem a expectativa de	☐ a *Superinteressante* errou algumas das suas previsões.

4.2. Veja os resultados de uma análise efetuada pela *Marktest* sobre a relação dos portugueses com a televisão.

PORTUGUESES VEEM TELEVISÃO DURANTE TRÊS HORAS E MEIA POR DIA

27 de janeiro de 2010

Três horas, 29 minutos e seis segundos foi o tempo médio passado diariamente por cada português à frente de um ecrã de televisão no ano passado, menos seis minutos e cinco segundos do que no ano anterior. Numa análise mais detalhada, conclui-se que os maiores consumidores de televisão, são os residentes no Sul do país, com um consumo médio de três horas 39 minutos e 53 segundos.
Os portugueses pertencentes à classe social mais baixa são os que mais tempo passam em frente ao ecrã de televisão. Em 2009, as pessoas pertencentes à classe baixa viram, em média, quatro horas, 21 minutos e 32 segundos de televisão. Numa análise dos dados por idade, conclui-se que são as pessoas com mais de 64 anos quem passa mais horas a ver televisão, com uma média de cinco horas, seis minutos e 28 segundos. Por outro lado, os que menos consumiram televisão em Portugal durante o ano passado foram os jovens entre os 15 e os 24 anos e as pessoas pertencentes às classes sociais alta e média alta.

http://www.ionline.pt/conteudo/44001-portugueses-veem-televisao-tres-horas-e-meia-dia (com supressões)

Debata os dados apresentados com os seus colegas. Não se esqueça de ponderar os seguintes aspetos: relação televisão/*internet*, televisões estatais/televisões privadas, idade e nível sociocultural. Verifique se existe alguma semelhança com o que acontece no seu país.

III. No papel ou digital?

O LIVRO DIGITAL E O DEMÓNIO DA ANALOGIA

As promessas contidas no livro digital exercem um grande fascínio, mas maior é a resistência do livro impresso e não se vislumbra a sua morte, porque nenhuma invenção tecnológica conseguiu destronar muitas das suas vantagens.

Há quase meio século, escutou-se pela primeira vez a profecia da morte do livro impresso. Foi em 1962, e o profeta tinha nome que haveria de soar a visionário: Marshall McLuhan. Reiterada de tempos a tempos, reativada como um programa inevitável a partir do momento em que a *internet* e os motores de busca passaram a fazer parte do quotidiano, em meados dos anos 90, a profecia não se cumpriu: a "galáxia de Gutenberg" não passou a ser uma coisa do passado, e a espécie do *homo typographicus* continuou a crescer e a multiplicar-se, **ainda que** a sua condição seja agora híbrida, **já que** passou também a responder às solicitações da Era Digital. **Certo é que** o caudal dos livros que se folheiam com os dedos, os livros impressos, não parou de aumentar. Robert Darnton, um dos mais importantes historiadores do livro e diretor da Biblioteca de Harvard, fornece os números desta marcha progressiva, num tempo que se esperava ser de abrandamento: em 1998 foram publicados em todo o mundo 700.000 novos títulos, em 2003 foram 859.000 e em 2007 foram 976.000. **Em suma**, o mais velho instrumento de leitura não apenas não foi expulso (de acordo com a velha teoria de que um novo meio de comunicação nunca exclui completamente o anterior) como manteve a sua posição de domínio absoluto.

O livro é, **assim**, uma das mais persistentes e duradouras tecnologias. As razões da perenidade deste aparelho extraordinário encontram-se nestas características: armazena muita informação em pouco espaço, arruma-se e transporta-se facilmente, tem um formato que o torna bastante manuseável, e a matéria de que é feito – o papel – não encontrou rival na capacidade de preservação (um dos receios mais justificados que os suportes digitais suscitam é o de estarem longe de garantir uma tal longevidade).

Além disso, ler num ecrã não é o mesmo que ler num *códex*. A representação eletrónica dos textos modifica-os totalmente: a materialidade do livro dá lugar à imaterialidade do texto sem lugar próprio; e as relações de contiguidade impostas pela técnica de sucessão das páginas impressas (o que impõe uma leitura linear) opõe-se a uma livre composição fragmentária a que o digital convida.

Mas a razão pela qual os livros digitais não cumpriram exatamente o percurso triunfal que lhes tinha sido prometido no momento em que entraram em cena têm a ver sobretudo com hábitos, sensações e vícios incrustados no corpo e no cérebro do leitor pela civilização do livro impresso; como exemplo, temos a disposição sensorial que o brilho do ecrã não satisfaz: aquela que retira prazer do cheiro e da textura do papel, das formas de encadernação. Pode-se objetar que estes atavismos são próprios de quem se habituou à leitura nos livros impressos mas não contaminam quem se iniciou e cresceu com os

......>

computadores. Mas, neste caso, há uma última e importante resistência que não foi ainda superada: o ecrã revela-se apto para uma leitura fragmentária e condensada, não para a leitura contínua e linear. Causou algum *frisson* a seguinte afirmação de Bill Gates, o presidente da *Microsoft*: "A leitura no ecrã é ainda muito inferior à leitura no papel. **Mesmo eu**, que tenho ecrãs de alta qualidade e me vejo todos os dias como pioneiro do modo de vida *internet*, **assim que** um texto ultrapassa quatro ou cinco páginas, imprimo-o e gosto de o ter comigo e de o anotar. É uma verdadeira dificuldade para a tecnologia chegar a este grau de comodidade."

António Guerreiro, *Expresso*, 12 de fevereiro de 2011 (com supressões)

1. Procure no texto a(s) frase(s) que:

1. apresenta(m) o primeiro vaticínio do desaparecimento do livro;
2. situa(m) as vozes da inevitabilidade desse desaparecimento;
3. mostra(m) o aumento da publicação de livros;
4. fundamenta(m) a longevidade do livro;
5. sublinha(m) o prazer do contato físico com o livro;
6. opõe(m) os modelos de leitura e de operações mentais (livro impresso *vs e-book*);
7. evidencia(m) a comodidade do suporte papel.

2. De acordo com o sentido do texto, substitua as expressões destacadas por outras com valor equivalente.

1. "... ainda que a sua condição seja agora híbrida..."	______________________
2. "... já que passou também a responder às solicitações..."	______________________
3. "Certo é que o caudal dos livros que se folheiam com os dedos..."	______________________
4. "Em suma, o mais velho instrumento de leitura..."	______________________
5. "O livro é, assim, uma das mais persistentes e duradouras tecnologias."	______________________
6. "Além disso, ler num ecrã não é o mesmo que ler num códex."	______________________
7. "Mesmo eu, que tenho ecrãs de alta qualidade..."	______________________
8. "... assim que um texto ultrapassa quatro ou cinco páginas..."	______________________

3. **Acredita que o *e-book* venha algum dia a fazer desaparecer o livro impresso? Já leu algum *e-book*? Porquê? Por que não?**

4. **"Livros. Os melhores companheiros nos transportes." Concorda?**

LUÍS, 30 ANOS
Engenheiro Florestal

"La sangre de los inocentes"
Júlia Navarro

"Estou a trabalhar para uns espanhóis e tenho de melhorar o meu castelhano. Escolhi este livro porque era o que estava em casa dos meus pais. Estou a gostar. Costumo ler quando ando no metro, o que não acontece muito. Tive de andar hoje e trouxe um livro. Nunca me esqueço."

MARINA, 24 ANOS
Designer gráfica

"A Farsa"
Raul Brandão

"Passo duas horas por dia nos transportes e o meu entretenimento é *sudoku*, jornais e livros. É mais agradável ler aqui que em casa, onde há mais distrações. Este livro é diferente dos que estou habituada a ler, tem uma linguagem apetrechada. Pode ser um pouco confuso até se entrar nele."

SUSANA, 34 ANOS/PEDRO, 43 ANOS
Rececionista; enfermeiro

"O Símbolo Perdido", Dan Brown
"O que Falta ao Tempo", Ângela Becerra

"Somos companheiros de degrau. Leio sempre no comboio. Este é sobre a vida de uma pintora e há para aqui um mistério", diz Pedro. "Sou fã incondicional do Dan Brown. Prefiro ler em inglês para não perder nenhum detalhe com a tradução."

JOANA, 25 ANOS
Engenheira civil

"A Soma dos Dias"
Isabel Allende

"A autora tem uma escrita muito envolvente. Fala sobre a vida dela e das pessoas que a rodeiam. Se temos de gastar tempo em viagem, por que não aproveitar para viajar a outros sítios? Abstraio-me do resto, mas às vezes é difícil não ouvir a história do tio que disse não sei o quê à mãe."

JOSÉ, 34 ANOS
Antropólogo

"New Masters, New Servants"
Yan Hairong

"Estou a ler este livro para lecionar uma disciplina. Estou a gostar, mas ainda estou no início. No metro trago de tudo. Se tiver muito trabalho, é um livro, se não, uma revista. É mais fácil ler no metro do que no autocarro, que está sempre a trepidar. Não fazer nada é um tédio. Leio ou ouço música."

INÊS, 33 ANOS
Secretária

"Fúria Divina"
José Rodrigues dos Santos

"É a primeira vez que leio um livro dele. Ofereceram-mo no Natal. É interessante, mas quero perceber se isto é só ficção ou se tem algum fundo de verdade. A mensagem é que nem em Portugal estamos a salvo de atentados. Leio no metro, porque assim as viagens ficam mais curtas."

i, 12 de janeiro de 2010 (com supressões)

5. **Costuma ler nos transportes? Quantos livros lê por mês? Que género de leitura prefere? Já leu algum livro em português? Qual? E autores portugueses traduzidos?**

B. GRAMÁTICA e VOCABULÁRIO

1. **Tal como na frase "Em 1993, se queria *dar uma perninha* num videojogo tinha de ter uma moeda de 50 escudos", a palavra *perna* entra em muitas expressões portuguesas.**

1.1. **Descubra o significado de algumas expressões portuguesas, relacionando os elementos das duas colunas.**

1. cortar as pernas a alguém	☐ morrer
2. fazer alguma coisa com uma perna às costas	☐ impedir alguém de progredir, de melhorar a sua situação
3. ter alguém à perna	☐ desentorpecer as pernas; andar
4. meter o rabo entre as pernas	☐ enganar; levar vantagem sobre alguém
5. não poder com as pernas	☐ com grande facilidade, sem custo ou trabalho
6. esticar a perna/o pernil	☐ ter alguém a persegui-lo, a ameaçá-lo ou a incomodá-lo
7. passar a perna a alguém	☐ ter medo, acobardar-se
8. desenferrujar as pernas	☐ estar muito cansado

1.2. **Escolha três dessas expressões e escreva uma frase com cada uma delas.**

1. ______________________________

2. ______________________________

3. ______________________________

2. **Complete as frases com para e por (e respetivas contrações, se necessário).**

1. Os semanários são publicações que só saem uma vez __________ semana.
2. Ler um jornal é um ato individual, pode começar-se __________ última página, __________ desporto, __________ notícias nacionais, __________ artigos internacionais, __________ onde se quiser
3. Desde que trabalho __________ esta televisão, tenho uma visão mais alargada do mundo.
4. O audiovisual utiliza diversos suportes __________ passar a mensagem publicitária.
5. Atualmente, existe uma diversidade imensa de programas __________ crianças.
6. Nem todas as informações transmitidas __________ *media* são objetivas.
7. Atualmente, existem jornais e revistas __________ todos os gostos e __________ todas as idades.
8. É preciso lutar __________ garantir a liberdade de expressão.

……>

9. Há que reconhecer que poucos afirmam publicamente a sua admiração ________ trabalho dos jornalistas.
10. As novas tecnologias da informação e da comunicação acabaram ________ transformar até a própria educação e formação.
11. Estou completamente apaixonado ________ esta série! Não perco um episódio!
12. ________ primeira vez esta semana, o telejornal não começou ________ futebol.
13. Vários estudos demonstram que são os jovens que revelam maior propensão ________ a utilização simultânea da televisão e da *internet*.
14. ________ se imporem no mercado, os *media* têm que estar tecnologicamente preparados ________ estarem presentes em todas as plataformas.
15. O fenómeno da produção de canais ________ a *internet* vai continuar a expandir-se.
16. Os temas mais sérios são muitas vezes debatidos ________ quem não sabe, o que inviabiliza que contribuam ________ um verdadeiro debate de ideias.
17. ________ uma assinatura anual da revista *Visão*, receba um desconto de 30% este mês.
18. Não olhe ________ trás e adira às oportunidades infinitas da informação digital.
19. Muitos criticam que os *media* sejam detidos ________ grandes grupos económicos.
20. Mais imagens, mas menos impressas, é o mundo oferecido ________ evolução tecnológica.

3. Complete as seguintes frases da imprensa portuguesa com o verbo adequado e no tempo correto.

enviar	consultar	fazer	escrever	ver	tornar
revelar	contabilizar	querer	representar	ficar	ser

A televisão e a rádio ________ parte da nossa paisagem doméstica.

Jornal de Notícias, 18 de outubro de 2008

Estudo sobre receção dos *media* ________ que a rádio é considerada a mais credível.

Jornal de Notícias, 18 de outubro de 2008

No trimestre de dezembro de 2009, o *Barómetro de Telecomunicações* ________ 8 416 indivíduos com posse ou utilização de telemóvel, o que ________ uma penetração de 90,7% entre os residentes em Portugal com 10 ou mais anos.

Grupo Marktest, 9 de fevereiro de 2010

Em abril de 2010 os jovens entre os 10 e os 14 anos ________ 142,9 mensagens escritas, enquanto os jovens entre os 15 e os 24 ________ 230,9 mensagens.

Grupo Marktest, 31 de agosto de 2010

Em julho de 2010 mais de dois milhões de portugueses ____________ a partir de casa *sites* de informação de jornais e revistas.

Público, 26 de agosto de 2010

Portugueses ____________ televisão durante três horas e meia por dia.

i, 27 de janeiro de 2010

É uma questão de tempo até que a televisão ____________ uma extensão da *internet* e vice-versa. Os programas que os espectadores ____________ realmente ver não têm de estar sujeitos à ditadura dos programadores.

Público, 2 de setembro de 2010

As aplicações para *iPhone* e agora para *iPad* ____________ a RFM na primeira rádio no mundo a dispor de uma aplicação para estas plataformas, a incorporar vídeo e canais de áudio, uma vez que as "*web*" rádios RFM ____________ também disponíveis nestas aplicações.

Jornal de Notícias, 28 de março de 2011

4. Futuro Imperfeito do Indicativo

VERBOS REGULARES		VERBOS EM *-ZER* (dizer; fazer; trazer)		
Eu	andar**ei**	**direi**	**farei**	**trarei**
Tu	andar**ás**	**dirás**	**farás**	**trarás**
Ele	andar**á**	**dirá**	**fará**	**trará**
Nós	andar**emos**	**diremos**	**faremos**	**traremos**
Eles	andar**ão**	**dirão**	**farão**	**trarão**

EXEMPLO: *Os media nunca* ***deixarão*** *de procurar estratégias para se adaptarem aos novos públicos.*

Utiliza-se para referir:

a) situações futuras numa linguagem mais formal (discursos políticos, jornais, literatura…).

EXEMPLO: *Amanhã, o Presidente da República* ***reunirá*** *com o Primeiro-Ministro.*

b) expressar dúvida ou incerteza.

EXEMPLO: *Não sei se ele* ***virá*** *connosco de férias.*

c) situações futuras por um tempo indefinido.

EXEMPLO: *Nunca* ***saberemos*** *a verdade, mas tu* ***terás*** *sempre todo o meu apoio.*

4.1. Complete com o Futuro Imperfeito do Indicativo estas curiosidades... passadas.

PREVISÕES... FURADAS!

Adivinhar o que ______________ (acontecer) no futuro não é fácil.
Que o digam estes senhores, que falharam, redondamente, nos cenários que traçaram.

"O telefone é uma boa invenção, mas quem o ______________ (querer) utilizar?"

Rutherford Hayes, presidente dos EUA, 1876

"A rádio não ______________ (ter) futuro."

Lord Kelvin, físico, matemático e engenheiro, 1897

"A televisão não ______________ (conseguir) manter durante seis meses nenhum dos mercados onde penetrar. As pessoas ______________ (fartar-se) de olhar para uma caixa de madeira todas as noites."

Darryl Zanuck, produtor de cinema da 20th Century Fox, 1946

"Acredito que ______________ (haver) um mercado mundial para talvez uns cinco computadores."

Thomas Watson, presidente da IBM, 1943

"Não ______________ (haver) razão para alguém querer ter um computador em casa."

Ken Olson, presidente da Digital Equipment Corporation, 1977

"Ninguém ______________ (precisar) de mais de 637 kb de memória num computador pessoal. 640 kb ______________ (ser) suficiente para qualquer um."

Bill Gates, 1981

Única, 10 de maio de 2010 (adaptado)

5. Futuro Perfeito do Indicativo

ter Futuro Imperfeito do Indicativo	+	*verbo principal* Particípio Passado

EXEMPLO: *Antes de conseguir aprender a trabalhar bem com este programa, já outro mais sofisticado **terá sido** lançado no mercado.*

Utiliza-se para:

a) referir situações futuras anteriores a outras situações também futuras.

EXEMPLO: *Até que me consigas vencer neste jogo, já eu **terei batido** muitos recordes.*

b) expressar dúvida ou incerteza sobre o passado.

EXEMPLO: *Ele **terá feito** o que prometeu? Ou **terão sido** apenas palavras vãs?*

5.1. Complete as frases com o Futuro Perfeito do Indicativo.

1. Consta que os dois principais grupos de comunicação ______________ (assinar) um protocolo relacionado com a transmissão dos jogos do campeonato.
2. De acordo com o que o professor disse, ele ______________ (copiar) o trabalho todo da *internet*.
3. Penso que dentro de uma semana já ______________ (terminar) todas as pesquisas necessárias para a tese.
4. Se as negociações correrem como previsto, antes do final deste ano ______________ (surgir) mais dois canais privados.
5. Amanhã, por estas horas, o repórter de imagem já ______________ (enviar) as fotos da reportagem.
6. Segundo uma prestigiada empresa de analistas, em 2015, um terço dos europeus ______________ (aceder) à *internet* através dos seus *smartphones*.
7. Quando tu tiveres netos, a informação digital já ______________ (deixar) de estar confinada a um ecrã.
8. Alguns estudos tentam demonstrar que a *internet* ______________ (ser) a principal causadora da perda substancial da capacidade de imaginação e de concentração dos jovens atuais.

C. ORTOGRAFIA e PRONÚNCIA

1. Complete as palavras com e ou i. Em seguida, ouça as palavras para confirmar o som.

Por vezes, a pronúncia do *e* confunde-se com a do *i*, mas há que saber distingui-la na ortografia. Teste os seus conhecimentos com as seguintes palavras.

fem___nino	pr___vilégio	def___nição	hab___litação
v___sita	___ssencial	pr___ocupação	id___alizar
card___al	nom___ação	ut___lidade	estab___lidade
___missão	___squeiro	r___alidade	g___ografia
cont___údo	___letrónica	ident___ficação	b___sbilhoteiro
def___nição	esqu___sitice	___volução	___xame
___mergência	encad___amento	gasól___o	in___migo
r___alização	espontân___o	requ___sição	art___ficial

D. PRODUÇÃO ESCRITA

Leia os seguintes excertos de dois artigos de opinião sobre jornalismo e informação na actualidade.

"JORNALISMO" CIDADÃO

Um dos maiores equívocos atuais referentes aos *media* é o chamado "jornalismo cidadão". Até porque, com tal terminologia, se pretende dizer que todo e qualquer cidadão é potencialmente jornalista. O que é perfeitamente absurdo. Ser jornalista supõe, mais do que nunca, conhecimentos técnicos e científicos, e até uma formação com aspetos artísticos no que diz nomeadamente respeito à "escrita". E quanto mais sólidas forem estas bases mais o jornalismo se afirmará como profissão específica.
Os cidadãos poderão, é certo, ser informadores, analistas, comentadores. Mas sempre o foram! De quantas notícias não tivemos nós conhecimento por uma das nossas relações? E quantas análises e comentários não ouvimos da boca de um colega ou amigo? O que houve foi duas mudanças de fundo: várias tecnologias permitem mais do que nunca aos cidadãos intervir no conteúdo de um *media*, ao mesmo tempo que lhes permitem atingir uma audiência planetária em tempo real. Em suma: a antiga "conversa de café" mudou substancialmente de escala.
Entre a produção de um jornalista profissional e a de um "jornalista cidadão" haverá sempre, e cada vez mais, a diferença que há entre um médico ortopedista e um curandeiro endireita. Em termos de jornalismo no sentido próprio da palavra, é uma evidência.

J.-M.Nobre-Correia, *Diário de Notícias*, 25 de setembro de 2010 (com supressões)

A ANGÚSTIA DO JORNALISTA PERANTE A *INTERNET*

De cada vez que tem lugar um acontecimento que concentra as atenções do mundo, torna-se evidente que os canais que utilizamos para nos mantermos informados mudaram de forma radical nos últimos dez anos.
É verdade que ainda continuamos a recorrer aos *media* tradicionais como a TV e os jornais (frequentemente através dos seus *sites*) e a ver as suas reportagens e a ler os seus artigos, mas ninguém que queira saber o que se passa no terreno e compreender os factos para além da superfície se fica por aí. O facto de podermos hoje ler e ver na *internet*, sem mediação, os relatos dos indivíduos comuns que protagonizam estes acontecimentos, os testemunhos dos voluntários das organizações humanitárias, a par de blogues de jornalistas no local (locais e estrangeiros, *Freelancer* ou não) fornece à informação a que temos acesso uma riqueza incomparável. Durante anos tentámos vender a ideia de que o jornalismo era a única forma de aceder a informação rigorosa e independente sobre os acontecimentos do mundo. Se isso foi verdade alguma vez, hoje já não é certamente.

José Vítor Malheiros, *Público*, janeiro de 2010 (com supressões)

Partindo da reflexão sobre as perspetivas apresentadas nos dois artigos, desenvolva a sua opinião sobre o assunto. Escreva entre 120 a 150 palavras.

E. TAREFA

Eis algumas capas da imprensa portuguesa. Escolha uma das publicações, faça uma pequena pesquisa sobre ela (periodicidade, secções, tipo de artigos, público-alvo...) e, depois, apresente-a aos seus colegas.

Correio da manhã
TRABALHADORES E REFORMADOS PAGAM 840 MILHÕES
Motard morre a caminho de Faro

i
BENFIQUISTAS ESGOTAM RESERVAS DE OURO DA CGD

Diário de Notícias
55% dos alunos do 12.º chumbaram no exame de Português
Figo

Expresso
Governo deixa críticas à Moody's nas mãos de Bruxelas
Mude o seu fado para melhor.

Público
Dez por cento dos salários mais altos pagam 60 por cento do imposto extraordinário

metro
DISCO
Metade vai pagar 150 euros

negócios
EXTRAORDINÁRIO
Cada filho vale 12 euros
Mudanças de última hora não impedem bancos de passar nos testes de 'stress'

GRÁTIS 1.º LIVRO DE PASSATEMPOS BUZZ!
VISÃO
Não nos lixem!
MOODYS

Record
Atila Turan esperado amanhã na Holanda
Benfica ganha Danilo

A BOLA
ESTÁ NA HORA DE IZMAILOV
100 JOGOS DE JESUS

Salgueiro Maia O Herói Esquecido
Selecções READER'S DIGEST
OS LARÁPIOS MAIS BURROS DA EUROPA
21 histórias caricatas
OITO VIAGENS de uma vida

CARAS
CRISTIANO RONALDO TERÁ PEDIDO A MODELO EM CASAMENTO
O FABULOSO ANEL DE IRINA

JL
Eduardo Souto de Moura

SUPER interessante
Caça ao DINOSSAURO

FESTIVAIS 2011 OS HERÓIS DESTE VERÃO
BLITZ
DAVE GROHL
NICK CAVE
O PRÍNCIPE DAS TREVAS
COLDPLAY

Lux
ALBERTO e CHARLENE dormiram em hotéis diferentes na África do Sul
LUA-DE-MEL SEPARADOS

RELAÇÕES PESSOAIS E INTERPESSOAIS

INTERCULTURALIDADE

UNIDADE 8

A. TEXTOS, CONTEXTOS e PRETEXTOS

I. Viver na rede

1. O que é *social networking*? É um lugar virtual onde nos juntamos e começamos a socializar. Leia o texto e as informações sobre este tema (retirado da revista *Visão* de 26 de março de 2009, por João Dias Miguel) e conheça um pouco mais sobre esta forma de comunicar.

ESTES SÃO OS ESPAÇOS NA *INTERNET* ONDE, HOJE, SE JUNTAM MAIS PESSOAS, EM TODO O MUNDO

Os muitos milhões que se ligam a "universos" como o *Facebook, Twitter, MySpace, Hi5* e outros querem dizer ao mundo o que andam a fazer, quem são e o que pensam. Defendem ideias, exibem preferências, juntam-se em grupos, alguns com (muita) influência. Um nova forma de vida, na *internet*, a que, provavelmente, nenhum dos que vivem no mundo real conseguirá escapar.
Os jovens portugueses aprenderam a socializar na *internet* e as redes de amizades e contactos pessoais passam, cada vez mais, pelo computador. De facto, os jovens vivem agarrados à rede. Desde que foi criado, em 2004, o *Facebook* começou a crescer a partir do seu público-alvo original – dos 18 aos 24 anos –, graças a amigos que convidam amigos, alcançando um crescimento exponencial, até atingir, no final de 2008, o astronómico número de 124 milhões de pessoas e uma taxa de crescimento diário de 250 mil novos membros.

FACEBOOK

www.facebook.com
Quando? Criado em 2004.
Quantos? 124 milhões de utilizadores + 250 mil novos registos por dia.
Para quem? A partir dos 25 anos.
Para quê? Rede de contactos pessoais, mas também é utilizado por políticos, estrelas da música e outras celebridades, com vista à autopromoção. As empresas promovem ações de *marketing*. Tendências e modas passam por aqui.

MYSPACE

www.myspace.com
Quando? Criado em 2003.
Quantos? 114 milhões de utilizadores + 230 mil novos registos por dia.
Para quem? Utilizado maioritariamente por músicos e fãs.
Para quê? Excelente para contornar a máquina industrial do mundo da música. Autopromoção e *marketing* em massa. Apurar modas e tendências entre os jovens utilizadores.

Hi5

www.hi5.com
Quando? Criado em 2003.
Quantos? 70 milhões de utilizadores + 350 mil novos registos por dia.
Para quem? É a principal rede social em mais de 25 países de diversos continentes. É utilizado especialmente pelos mais jovens.
Para quê? Criação de comunidades, promoção de celebridades e ações de *marketing*.

TWITTER

www.twitter.com
Quando? Criado em 2006.
Quantos? 2 milhões de utilizadores + 3500 novos registos por dia.
Para quem? Internautas que passam muitas horas ligados à *internet*. Trata-se, afinal, de um sistema de *microblogging*. Para quem quer estar hiperligado ao que os outros fazem.
Para quê? Manutenção e expansão de redes de contactos e comunidades virtuais.

O QUE ESTÁS A FAZER?

A filosofia do blogue levada ao seu estado mais minimal. Situações banais, como beber um copo de água, podem originar um *post*.

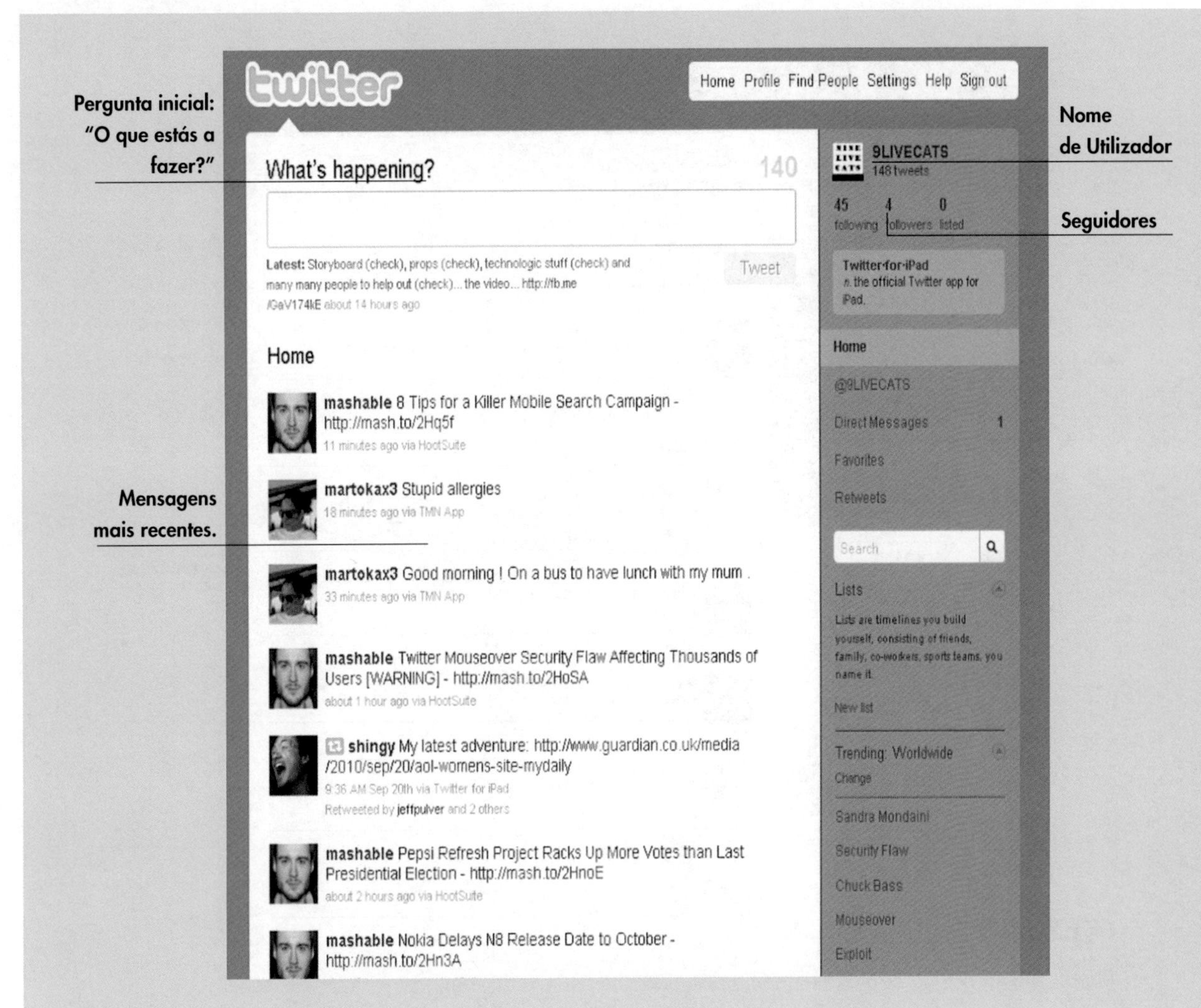

DICIONÁRIO DE "TWITTÊS"

APP: Abreviatura de *application*. As aplicações criadas com base no *Twitter*.

Co-tweeterer: Um parceiro que publica no seu *Twitter*.

Direct Message ou ***DM:*** Uma mensagem privada, enviada diretamente de um utilizador para o outro.

#Hashtag ou ***#Hash:*** Forma de sinalizar algo. Facilita a pesquisa no *Twitter*.

Topic Trends: Assuntos mais comentados.

Tweet: Mensagem até 140 caracteres.

Retweet ou ***RT:*** Retransmitir uma mensagem de alguém citando a sua autoria.

Twittersearch: O motor de busca do *Twitter*.

TwitterGrid: Uma aplicação que permite acompanhar um evento ou assunto em direto.

EM QUE ESTÁS A PENSAR?

A interação é encorajada. O grupo de "amigos" é o nosso público. É o novo brinquedo dos trintões.

DICIONÁRIO DE "FACEBOOKÊS"

Mural: Um espaço na página de perfil do usuário que permite aos amigos publicar mensagens e comentários. É também visível pelas pessoas com permissão para aceder ao perfil completo.

Mercado *Facebook*: Permite publicar classificados gratuitamente dentro das seguintes categorias: à venda, imóveis, emprego e "outros".

Camaleão do *Facebook*: Alguém que altera constantemente o seu perfil e fotos.

***Profile badge*:** forma de partilhar a sua informação do *Facebook* noutros *websites*.

1.1. Costuma utilizar alguma destas redes sociais? Qual ou quais? Com que objetivos? Quanto tempo considera que, em média, passa por dia nessa ou nessas redes? Compare as suas respostas com as dos seus colegas.

1.2. Individualmente ou em trabalho de pares, pense no que essas redes têm de positivo ou de negativo e escreva alguns tópicos. Oralmente, justifique as suas opiniões.

POSITIVO	NEGATIVO

1.3. Todas as palavras que se seguem foram retiradas do texto que acabou de ler. Encontre uma palavra ou expressão equivalente para cada uma.

1. evento	
2. em massa	
3. de facto	
4. escapar	
5. exibir	
6. manutenção	
7. usuário	
8. alcançar	
9. perfil	
10. maioritariamente	

1.4. Explique por palavras suas as seguintes expressões e provérbios.

Zangam-se as comadres, descobrem-se as verdades.

Quem te avisa, teu amigo é.

Amigos, amigos, negócios à parte.

Quem conta um conto, acrescenta um ponto.

Os amigos são para as ocasiões.

Amigo da onça.

Diz-me com quem andas, dir-te-ei quem és.

Amigo não empata amigo.

II. Amigos para sempre

1. Considera-se dependente do seu telemóvel? Leia o seguinte artigo que inclui um estudo sobre o uso do telemóvel em Portugal.

AMIGOS PARA SEMPRE

Há mais telemóveis do que pessoas. Nove em cada dez portugueses têm pelo menos um. Ainda há quem os considere uma praga. Mas poucos conseguem viver sem eles. E você, fica em pânico se a bateria acaba?

Usamo-los para tudo, usamo-los por tudo e por nada. Quando estamos à espera, quando estamos perdidos, quando estamos aborrecidos ou quando estamos contentes e queremos partilhar boas novidades. São despertadores e agendas. Leitores de música e computadores pessoais. Falamos com família e amigos, pagamos contas e vemos *e-mails*. Muito do nosso mundinho anda ali, concentrado naquele "aparelhómetro" mais pequeno que a palma da mão.

Os telemóveis chegaram há coisa de 17 anos e hoje questionamo--nos como era a vida sem eles. Um estudo recente do Observatório de Comunicação (OberCom) concluiu que os jovens (principalmente as raparigas) destacam os telemóveis como o objeto sem o qual não conseguiriam viver. Passámos a comunicar telefonicamente quando nos dá jeito e vontade, seja enquanto pagamos as compras no supermercado ou no meio do trânsito. Hoje, refere o estudo, a pergunta que se coloca já não é quem tem telemóvel, mas sim quem não tem. E aqui a resposta encaminha-nos maioritariamente para "pessoas de idade avançada, do sexo feminino, com pouca instrução e pertencentes ao grupo dos inativos".

Mas existem regras de boa educação que são válidas para miúdos e graúdos: não ligar a horas tardias; desligar ou silenciar o telemóvel em eventos públicos; evitar colocá-lo em cima da mesa das refeições; usar toques discretos; não manter conversas em tom demasiado elevado em locais públicos. São regras que têm a ver com civismo e com a forma como nos relacionamos uns com os outros.

Por mais olhares que se deitem sobre o assunto, uma coisa é clara: os telemóveis estão aí e vieram para ficar. Será que não podíamos viver sem eles? Como diz o anúncio, poder, podíamos. Mas não era a mesma coisa. Bem dizem os gestores do ramo que o sector das telecomunicações é dos mais resistentes à crise. E os números comprovam-no trimestre a trimestre: mais chamadas, mais minutos conversados, mais mensagens enviadas... e também mais assinantes de telemóvel. Mais do que a média europeia e que a população residente. Os dados são do 3.° trimestre de 2009.

Ana Brito, *Público*, 16 de janeiro de 2010 (adaptado)

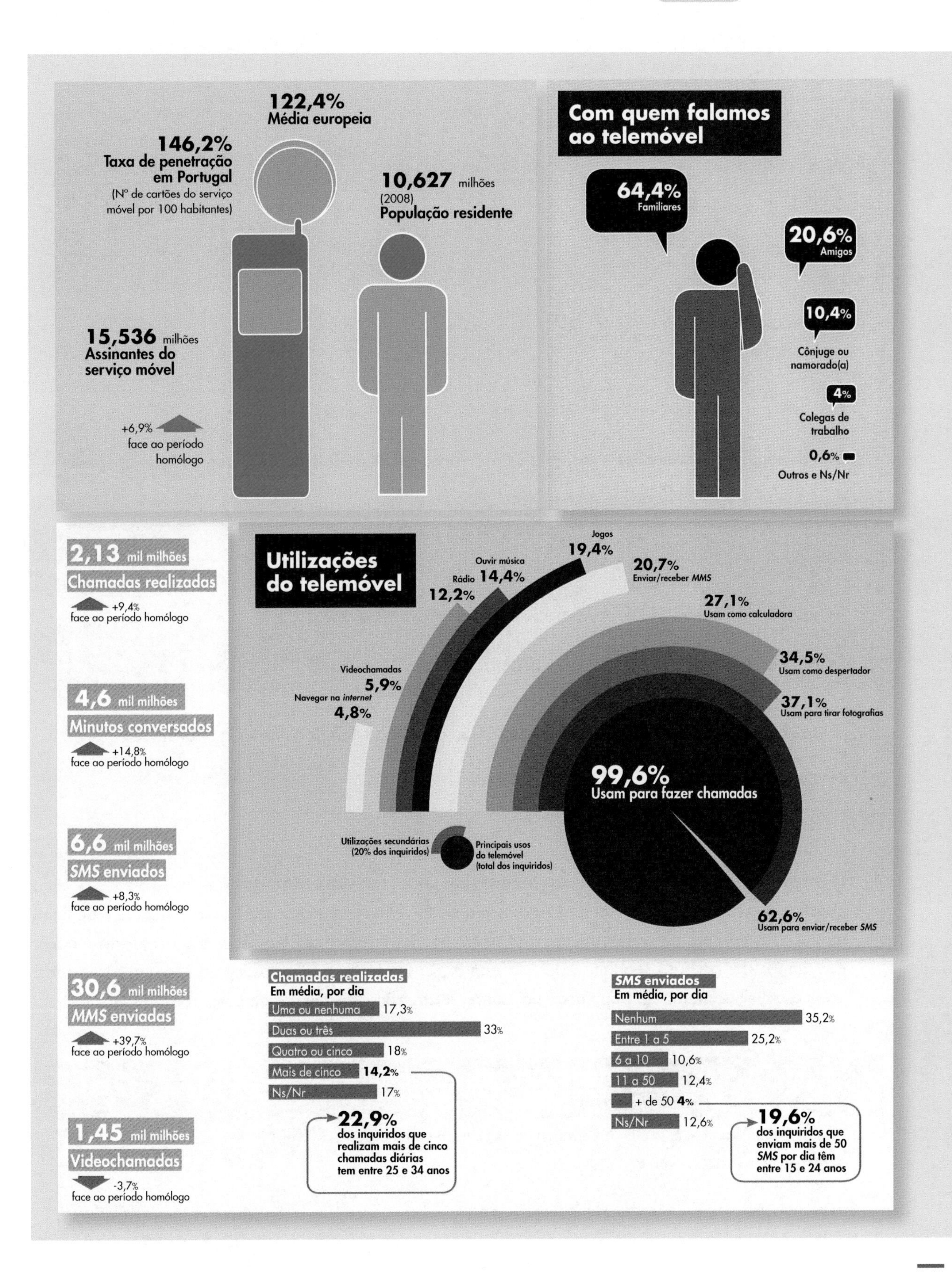
122,4%
Média europeia
146,2%
Taxa de penetração em Portugal
(Nº de cartões do serviço móvel por 100 habitantes)
10,627 milhões
(2008)
População residente
15,536 milhões
Assinantes do serviço móvel
+6,9%
face ao período homólogo
Com quem falamos ao telemóvel
64,4%
Familiares
20,6%
Amigos
10,4%
Cônjuge ou namorado(a)
4%
Colegas de trabalho
0,6%
Outros e Ns/Nr
2,13 mil milhões
Chamadas realizadas
+9,4%
face ao período homólogo
4,6 mil milhões
Minutos conversados
+14,8%
face ao período homólogo
6,6 mil milhões
SMS enviados
+8,3%
face ao período homólogo
30,6 mil milhões
MMS enviadas
+39,7%
face ao período homólogo
1,45 mil milhões
Videochamadas
-3,7%
face ao período homólogo
Utilizações do telemóvel
Jogos
19,4%
20,7%
Enviar/receber MMS
Ouvir música
14,4%
Rádio
12,2%
27,1%
Usam como calculadora
34,5%
Usam como despertador
37,1%
Usam para tirar fotografias
Videochamadas
5,9%
Navegar na internet
4,8%
99,6%
Usam para fazer chamadas
Utilizações secundárias (20% dos inquiridos)
Principais usos do telemóvel (total dos inquiridos)
62,6%
Usam para enviar/receber SMS
Chamadas realizadas
Em média, por dia
Uma ou nenhuma 17,3%
Duas ou três 33%
Quatro ou cinco 18%
Mais de cinco 14,2%
Ns/Nr 17%
22,9%
dos inquiridos que realizam mais de cinco chamadas diárias tem entre 25 e 34 anos
SMS enviados
Em média, por dia
Nenhum 35,2%
Entre 1 a 5 25,2%
6 a 10 10,6%
11 a 50 12,4%
+ de 50 4%
Ns/Nr 12,6%
19,6%
dos inquiridos que enviam mais de 50 SMS por dia têm entre 15 e 24 anos

1.1. Complete o quadro com as informações do texto.

Diferentes utilizações no telemóvel		Grupo que mais utiliza o telemóvel	Grupo que menos utiliza o telemóvel e razões	Regras de boa educação para a utilização do telemóvel
	quase 20 anos			

1.2. Leia as seguintes afirmações e assinale se são verdadeiras ou falsas. Justifique as suas opções.

1. O telemóvel, em Portugal, é mais utilizado para fazer chamadas do que para enviar *SMS*.	V ☐ F ☐
2. Os portugueses utilizam mais o telemóvel por motivos profissionais do que pessoais.	V ☐ F ☐
3. Em situação de crise económica, os portugueses utilizam menos o telemóvel.	V ☐ F ☐
4. Em Portugal, não há registo de críticas em relação à utilização do telemóvel.	V ☐ F ☐

1.3. E você? Fica em pânico se a bateria acaba? Como se pode definir como utilizador de telemóvel?

III. "Seniornautas"

1. O envelhecimento da população é uma realidade nos países mais desenvolvidos. Responda a este pequeno questionário realizado pelo *Instituto Americano do Envelhecimento* e inserido no jornal *i* (21 de julho de 2009) e, em seguida, confirme as respostas e analise a informação que pode ser retirada a partir dos mapas das páginas seguintes. Debata com os seus colegas as conclusões que podem ser tiradas: onde o envelhecimento da população vai aumentar; razões para esse aumento; consequências.

QUIZ - VERDADES E MITOS SOBRE O ENVELHECIMENTO GLOBAL *Instituto Americano do Envelhecimento*	
1. A população mundial com menos de 5 anos ultrapassa o número de pessoas no mundo com 65 anos ou mais.	SIM ☐ NÃO ☐
2. Que país tem mais pessoas com idade superior a 65 anos?	CHINA ☐ RÚSSIA ☐

······>

3. Mensalmente, quantas mais pessoas há com mais de 65 anos no mundo?	**600 000** ☐ **870 000** ☐
4. Que país tem maior percentagem de pessoas com mais de 65 anos?	**JAPÃO** ☐ **SUÉCIA** ☐
5. As estatísticas preveem que, em 2050, 35% da população americana tenha mais de 65 anos.	**SIM** ☐ **NÃO** ☐
6. Há mais pessoas com idade superior a 65 anos nos meios rurais que nas cidades.	**SIM** ☐ **NÃO** ☐
7. Na maioria dos países, a emigração não tem efeito sobre o envelhecimento da população.	**SIM** ☐ **NÃO** ☐
8. Por cada 100 mulheres com mais de 65 anos há, pelo menos, 90 homens nessa faixa etária.	**SIM** ☐ **NÃO** ☐

Soluções: 1. Sim, mas em menos de 10 anos essa realidade deve inverter-se. 2. China (106 milhões). 3. 870 000. 4. Japão (22%). 5. Não. Serão apenas 20%. 6. Não. 7. Sim 8. Não. São apenas 20% ou menos.

506 milhões

Em 2008 havia 506 milhões de idosos (mais de 65 anos) em todo o mundo.

1,3 mil milhões

Estima-se que, em 2040, haverá 1,3 mil milhões de pessoas idosas – 14% da população.

233%

O número de pessoas com mais de 80 anos vai crescer 233% entre 2008 e 2040.

2040

Vai haver, pela primeira vez, mais pessoas com mais de 65 anos do que com menos de 5.

POPULAÇÃO COM 65 ANOS OU MAIS EM 2008

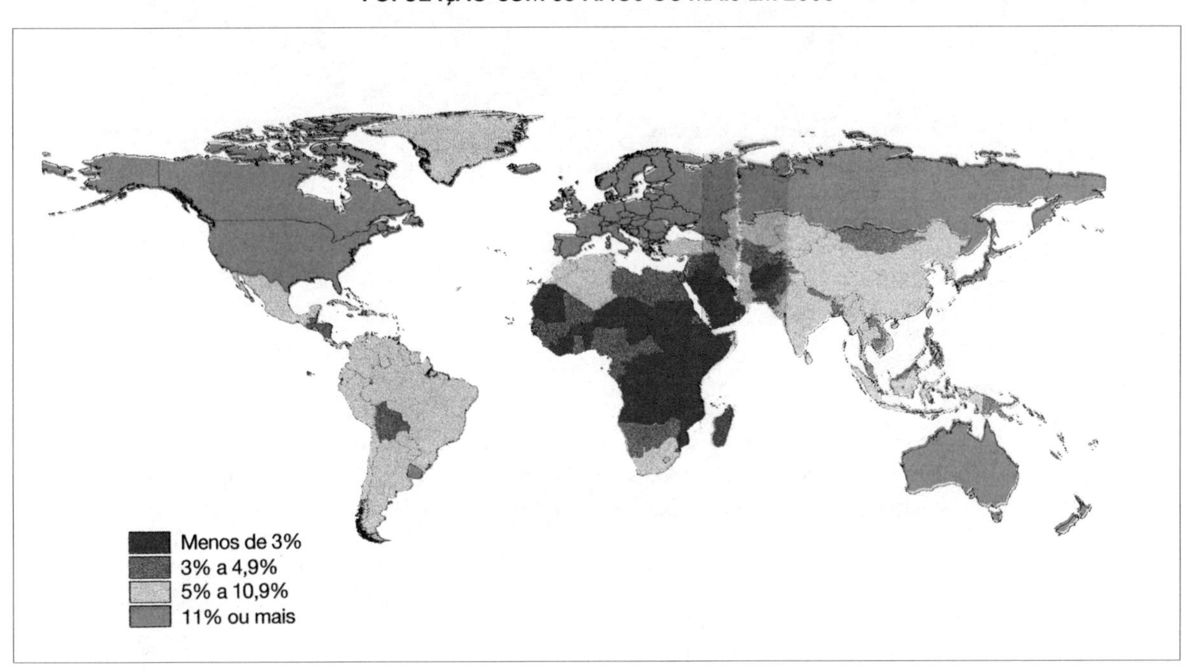

POPULAÇÃO COM 65 ANOS OU MAIS EM 2040

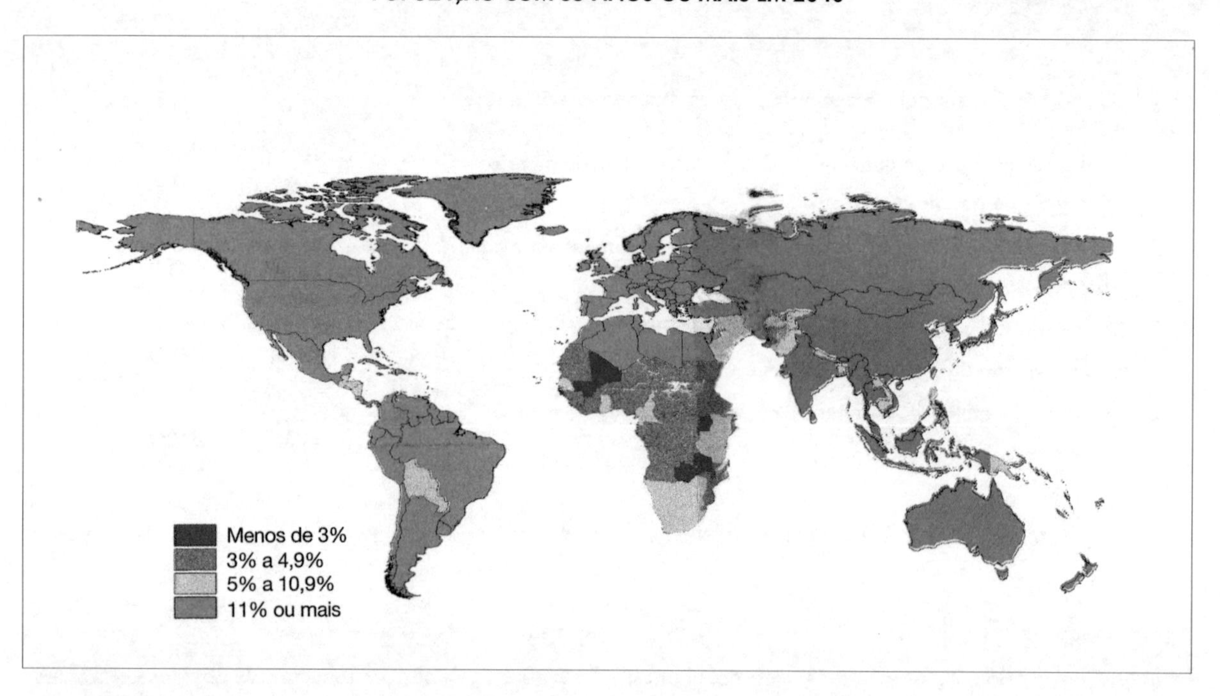

2. **Como é, na sua opinião, a relação dos mais idosos com as novas tecnologias? O texto que se segue dá-lhe uma ideia da situação em Portugal.**

2.1. **Para poder compreender o texto, terá de colocar os parágrafos na ordem correta. O primeiro parágrafo já se encontra assinalado na tabela da página seguinte.**

"SENIORNAUTAS"

Desengane-se quem pensa que o espaço virtual está reservado aos jovens. A *internet* tem conquistado, todos os anos, cada vez mais adeptos portugueses acima dos 65 anos. Uns usam-na para combater a infoexclusão, outros para poderem comunicar com os familiares que residem no estrangeiro. Os "seniornautas" do século XXI marcam presença *online* de diversas maneiras: através de *e-mail*, redes sociais ou blogues. O que começa com um simples clique acaba com uma janela de oportunidades que se abre para o admirável mundo das tecnologias de informação.

Terceira vaga?

A. Mas esta cibernauta não usa a *internet* apenas para atualizar o blogue ou trocar *e-mails*: está inscrita no *Facebook*, no *Twitter* e faz ainda algumas compras *online*, nomeadamente livros estrangeiros ou nacionais que não consegue encontrar nos locais habituais.

B. Joana Lopes, 70 anos de idade, é um bom exemplo, com a sua criação do blogue *Entre as Brumas da Memória*. Esta ex-gestora de uma empresa de informática está atualmente reformada, mas

······>

admite que, se não tivesse tido experiência com computadores durante 25 anos, talvez manifestasse alguns receios em usar a *internet*. "Quem chegou tarde à informática tem medo da tecnologia. Há uma barreira psicológica", afirma ela.

C. Mas a percentagem de cibernautas seniores ainda é relativamente baixa, quando se faz o paralelismo com o escalão dos 55 aos 64 anos, cuja taxa se situa nos 18,7 por cento. As razões são inúmeras, desde logo porque os idosos de hoje não cresceram com a tecnologia.
Num mundo cada vez mais dominado pelas tecnologias de informação, os idosos vão conquistando, gradualmente, o seu lugar *on-line*.

D. O caso de Joana Lopes é a antítese do que, habitualmente, se passa com os utilizadores acima dos 65 anos: passa horas ligada à *internet* e até já teve oportunidade de conhecer "na vida real" alguns *bloggers* e visitantes da sua página.

E. Segundo dados do *Instituto Nacional de Estatística* (INE), em 2008, 5,2 por cento da população portuguesa com mais de 65 anos utilizou a *internet*. Comparativamente a 2007, registou-se um aumento de 1,2 por cento no número de utilizadores dentro desta faixa etária.

F. Na sua opinião, o blogue e as redes sociais permitem uma troca de experiências entre gerações. "Um dos contributos das pessoas mais velhas na *internet* é precisamente o de poderem transmitir informações que os mais novos não viveram", conclui.

G. Alguns encolhem-se perante o bicho de sete cabeças que é o computador. Mas muitos arregaçam as mangas e tentam provar que, independentemente da idade, a *internet* quando nasce é para todos.

Andreia Pereira, *Notícias Magazine*, 26 de julho de 2009 (adaptado)

1	E	5	
2		6	
3		7	
4			

2.2. **Explique por outras palavras as palavras ou expressões do texto assinaladas a azul.**

2.3. **Tente lembrar-se de duas pessoas que conheça que sejam bons exemplos para as duas situações apresentadas no parágrafo G.**

3. Ouça uma entrevista a José Manuel Fernandes, ex-diretor do jornal *Público*, e o testemunho de Rosa Oliveira, de 65 anos, sobre o uso da *internet* e de redes sociais.

Em seguida, assinale se as afirmações são verdadeiras ou falsas.

ENTREVISTA		
1. José Manuel Fernandes recorda-se perfeitamente que entrou no *Twitter* no fim do mês de janeiro.	V ☐	F ☐
2. Este jornalista utiliza o *Twitter*, mas, para ele, continua a ser mais fácil contactar as pessoas por telefone ou *e-mail*.	V ☐	F ☐
3. O *Twitter* ajuda-o na sua área de trabalho.	V ☐	F ☐
4. José Manuel Fernandes considera o *Twitter* um boa forma de encontrar informação.	V ☐	F ☐

TESTEMUNHO		
1. Quando Rosa Oliveira se inscreveu no curso de Informática já utilizava o computador há algum tempo.	V ☐	F ☐
2. O marido sente-se mais à vontade com as novas tecnologias do que ela.	V ☐	F ☐
3. Rosa Oliveira utiliza o computador principalmente para comunicar com a filha e com a neta.	V ☐	F ☐
4. Rosa Oliveira sempre sentiu um grande interesse pelas novas tecnologias.	V ☐	F ☐

B. GRAMÁTICA e VOCABULÁRIO

1. Futuro Perfeito do Conjuntivo

Forma-se com o verbo auxiliar **ter** no **Futuro do Conjuntivo** e o **Particípio Passado** do verbo principal.

ter		***verbo principal***
Futuro do Conjuntivo	**+**	**Particípio Passado**

EXEMPLO: *Se pelo Natal já **tiver arranjado** dinheiro suficiente, vou comprar um telemóvel novo.*

Utiliza-se nos mesmos casos em que se usa o **Futuro do Conjuntivo** para falar:

a) de uma ação futura já realizada em relação a outra também no futuro.

EXEMPLO: *Quando **tiver feito** o trabalho de casa, vou ter com vocês ao café.*

2. Complete as seguintes frases com os verbos conjugados num dos tempos do Futuro que já estudou: Futuro do Conjuntivo, Futuro Imperfeito do Indicativo, Futuro Perfeito do Conjuntivo ou Futuro Perfeito do Indicativo.

1. Telefona para a Joana, logo que ______________ (chegar) a casa.
2. Achas que a esta hora ela já ______________ (sair) das aulas?
3. Amanhã por esta hora nós já ______________ (estar) em Londres.
4. Este ano não vou poder fazer as compras de Natal, enquanto não ______________ (receber) o subsídio.
5. Ela ______________ (gostar) do presente que lhe ofereci?
6. Vou enviar um convite do *Facebook* ao Miguel mas não sei se ele já ______________ (registar-se).
7. Ela vai ficar contente se nós lhe ______________ (fazer) um jantar surpresa.
8. Se até às 18h00 eu já ______________ (terminar) de escrever todos os e-*mails*, vou contigo ao café.
9. Se amanhã tu ______________ (trazer) a tua *pen*, podes copiar estas fotografias.
10. Só depois das 19h00 é que nós ______________ (saber) quem foi eleito.

3. Reescreva as seguintes frases de forma a não modificar o seu sentido.

1. Talvez eles já tenham instalado o *Skype*.

   Não sei se eles já ______________________________.

2. No caso de já terem instalado o *Skype*, hoje já poderemos falar com eles.

   Se já ______________________________.

3. Telefona-me, se tiveres alguma dúvida.

   Ela disse-me que ______________________________.

4. É bem possível que já tenham tomado uma decisão.

   É bem possível que uma decisão já ______________________________.

5. Apesar de me ter inscrito no *Facebook*, ainda não o sei utilizar muito bem.

   Embora ______________________________.

6. Ao saber o que aconteceu, ela ficou extremamente nervosa.

   Quando ela ______________________________.

7. Antes de sairmos, temos que apagar as luzes.

   Quando ______________________________.

8. Não te inscreveste no curso de Informática e agora não percebes nada das novas tecnologias.

   Se te ______________________________.

9. Apesar da crise económica, os portugueses utilizam cada vez mais o telemóvel.

   Embora ______________________________.

4. Transforme os substantivos em verbos.

1. o engano	______________	**7. o destaque**	______________
2. o risco	______________	**8. a manutenção**	______________
3. a transmissão	______________	**9. o silêncio**	______________
4. o receio	______________	**10. a promoção**	______________
5. a estimativa	______________	**11. o toque**	______________
6. a gestão	______________	**12. o excesso**	______________

5. Complete o texto com as palavras que se encontram dentro do quadro.

até	ver	ter	potenciam	nicho	transição
esperança	desaceleração	com	anseios	das	num
patamares	pico	a	em	adotou	às

VALORIZAR O ENVELHECER

O envelhecimento da população mundial vai aumentar nos próximos anos __________ atingir um __________ em 2030, registando depois uma __________ no final do século. Portugal não é exceção.

A população portuguesa está cada vez mais envelhecida, uma realidade que tem a __________ com um renovado estilo de vida que a população sénior __________. Desde os cuidados primários de saúde, assistência médica visivelmente melhorada, alimentação mais adequada e uma maior participação __________ atividades físicas, levam esta franja da população __________ atingir __________ de longevidade que há uns anos eram impensáveis.

Na última metade do século XX, a população mundial assistiu a um constante processo de __________ demográfica, __________ o decréscimo simultâneo __________ taxas de mortalidade e de natalidade e com o aumento da __________ de vida, que se traduziu __________ envelhecimento populacional universal. A população sénior representa assim uma percentagem cada vez maior na sociedade e atendendo __________ características deste __________ emergente, a sociedade deverá __________ capacidade para responder aos seus __________. Um dos exemplos são as universidades seniores e as residências que __________ um envelhecimento ativo e com qualidade de vida.

Ana Mendes, *Perspectiva*, março de 2009 (com supressões)

6. Junte cada um dos verbos com um elemento da segunda coluna e forme uma expressão. Em seguida, escreva uma frase exemplificativa do seu significado.

1. ter	• de moda
2. marcar	• um assunto
3. manter	• em pânico
4. acompanhar	• a ver com
5. passar	• jeito
6. ficar	• uma conversa
7. dar	• uma pergunta
8. colocar	• presença

1. ______________________________
2. ______________________________
3. ______________________________
4. ______________________________
5. ______________________________
6. ______________________________
7. ______________________________
8. ______________________________

7. Complete as frases com a palavra correta.

1. ____________ que estás com frio. (de certo/decerto)
2. O teu telemóvel está ____________ do teu livro. (debaixo/de baixo)
3. O negócio afinal foi por água ____________. (a baixo/abaixo)
4. Eles não aceitaram o convite, mas não disseram ____________. (porque/porquê)
5. Este foi o restaurante ____________ eu almocei com os meus pais ontem. (aonde/onde)
6. Estiveste a trabalhar ____________ a hora do almoço? (durante/enquanto)
7. Na aula de ontem falámos ____________ desse tema. (acerca/cerca)
8. O céu amanhã estará muito nublado. ____________ prevê-se que no fim de semana esteja sol. (embora/todavia)

8. Complete as frases com a preposição adequada.

1. ________ quanto é que compraste este *scanner*?
2. Os jovens ________ hoje vivem agarrados ________ a rede.
3. É impossível escapar ________ esta nova forma ________ vida.
4. ________ que grupo etário pertencem os maiores utilizadores ________ o *Facebook*?
5. Usamos o telemóvel ________ tudo e ________ nada.
6. Ontem fiquei ________ bateria ________ o telemóvel e entrei ________ pânico, porque não sabia o que fazer ________ aquela situação.
7. Será que vamos dar ________ o caminho ________ a casa dela?
8. Graças ________ o *Skype*, posso falar ________ os meus amigos estrangeiros ________ pagar nada.
9. Este novo programa não presta ________ nada.
10. Sei perfeitamente que posso contar ________ eles ________ o que for preciso.
11. Vou pôr o telemóvel _____ carregar. Não estou para ficar ________ bateria.
12. Na semana passada liguei ________ o professor ________ falar ________ a minha apresentação ________ *powerpoint*.
13. Também tiveste dificuldade ________ trabalhar ________ este diretor de serviços? Nunca tem tempo ________ ninguém.
14. Tens de te adaptar ________ as novas regras ________ estares sempre a pôr ________ causa tudo e todos.

C. ORTOGRAFIA e PRONÚNCIA

1. Muitas palavras têm um som muito próximo, mas o seu significado e a sua grafia são diferentes. Assinale as palavras que vai ouvir.

1. anúncio	☐	anuncio	☐
2. consulta-se	☐	consultasse	☐
3. dá-mos	☐	damos	☐
4. céu	☐	seu	☐
5. veem	☐	vêm	☐
6. distância	☐	distancia	☐
7. procurarão	☐	procuraram	☐
8. compra-mos	☐	compramos	☐
9. pode	☐	pôde	☐
10. cópia	☐	copia	☐
11. séria	☐	seria	☐
12. assar	☐	azar	☐

2. Acentue graficamente as palavras que necessitam de acento.

1. Ninguem pode conduzir e falar ao telefone em simultaneo. Este e um comportamento inaceitavel.
2. Peguei no album de familia e ficamos a recordar os tempos que passamos juntos.
3. Eles construiram um edificio novo mesmo em frente da saída do metro.
4. Ha que ter cuidado, pois tudo o que pomos *on-line* e pesquisavel e recuperavel.
5. Antigamente consumiamos informação de forma passiva. Se quisessemos comentar um artigo, tinhamos de por uma carta no correio.
6. O PC senior e mais leve, tem as teclas maiores, o rato e anatomico e tem conteudos especificos para idosos.

D. PRODUÇÃO ESCRITA

Um *post* num blogue teve o seguinte comentário:

"Quanto mais formas temos para comunicar, menos comunicamos."

Escreva o seu comentário, desenvolvendo o seu ponto de vista em cerca de 120 palavras.

E. TAREFA

Faça um mini-inquérito às pessoas que conhece sobre a sua utilização da *internet* e de redes sociais e apresente os resultados/conclusões. Depois da caracterização da pessoa que vai entrevistar (idade, sexo, estudos, profissão), estas são algumas perguntas que pode fazer:

- tem *internet* em casa e no trabalho?
- com que frequência acede à *internet*?
- quantas horas passa por dia na *internet*?
- tem um perfil numa rede social? Qual?
- com que finalidades utiliza a *internet*/redes sociais?
- tem um blogue?
- já teve alguma má experiência?

ESTUDOS

UNIDADE 9

I. Estudar, conhecer, saber, crescer...

Nos últimos anos, a mobilidade europeia não tem parado de crescer, nomeadamente entre os estudantes, os quais aproveitam o facto de frequentarem o ensino universitário para se lançarem numa experiência além-fronteiras. Esta mobilidade académica resulta, sobretudo, do programa de intercâmbio *Erasmus*, graças ao qual estudar no estrangeiro deixou de ser exclusivo de um pequeno grupo privilegiado, abrindo portas desconhecidas a quem se quiser aventurar. E não são poucos!

1. **Para conhecer melhor esta geração de jovens, leia o artigo que se segue.**

Estão, como se diz no neologismo próprio da sua geração, "em Erasmus." Cruzam os céus da Europa em voos tão *low-cost* que o preço do bilhete não dava nem para uma viagem de "Alfa"; povoam as baixas e centros históricos das cidades da Europa, aproveitando e contrariando a desvalorização eminente do património específico do nosso "velho" Continente. **Têm a sua "casa de férias" nas redes sociais**; desafiam as suas e as nossas noções de dimensão e geografia e, nesse movimento perpétuo, vão alargando as vistas ao Continente, celebrando-o, se não nas certezas, pelo menos, na consciência lúcida das dúvidas.

Com espírito olímpico, pulam fronteira após fronteira, física e ideológica. Misturam-se, que **foi para isso que se fizeram à estrada**. Estão aí para abraçarem as suas escolhas (mesmo as erradas), para celebrar as diferenças entre as Línguas e as Cidades, e enterrar de forma desprendidamente científica os mitos da "impossível coabitação". **São viajantes, não são turistas**, e este desassossego é intangível na sua face mais brilhante: a valorização, para lá do mercado, da pluralidade dos territórios partilhados – identidade, economia, sociedade – que são porventura a mais cobiçada matéria-prima da Europa e, ao mesmo tempo, a sua principal força de eventual transformação. Estes migrantes saíram de casa para ver menos do mesmo e mais do que não é costume, e **ainda estão quase todos na idade do namoro** – superam a distância com um sentido de aventura que é, ou devia ser, a base de toda a Aprendizagem. Morreu a "geração interRail", viva a "geração Erasmus".

O relatório de junho passado da União Europeia assinalava um total próximo dos 200 mil estudantes que tinham aderido ao programa no ano letivo de 2008/2009, perfazendo assim um número estimado em dois milhões de jovens europeus que dele beneficiaram desde a sua fundação em 1987, em qualquer um dos 31 países ao abrigo deste "protocolo", que já ultrapassa a Europa dos 27. O projeto alargou-se, entretanto, a estágios profissionais e programas de estudo e formação complementares – no que toca aos estágios, o número de futuros profissionais que deles usufruiu aumentou 50%. Atualmente estima-se que 4% dos estudantes europeus tenham feito parte do programa Erasmus. É pouco, que estamos todos a pagar demasiados impostos. Triplique-se, em nome do equilíbrio financeiro.

Nicolau do Vale Pais, 9 de julho de 2010
http://www.jornaldenegocios.pt/home.php?template=SHOWNEWS_V2&id=434133 (com supressões)

1.1. De acordo com o sentido do texto, explique as seguintes frases.

- "Têm a sua "casa de férias" nas redes sociais..."
- "Com espírito olímpico, pulam fronteira após fronteira..."
- "... foi para isso que se fizeram à estrada."
- "São viajantes, não são turistas..."
- "... ainda estão quase todos na idade do namoro..."

1.2. Como justifica a citação de Erasmo de Roterdão – *"Para ganhar, é preciso gastar"* – feita pelo autor do texto?

1.3. O que quererão os jovens transmitir quando afirmam simplesmente que estão *"em Erasmus"* ?

1.4. Concorda com a frase *"superam a distância com um sentido de aventura que é, ou devia ser, a base de toda a Aprendizagem"* ? Justifique a sua opinião.

1.5. No quadro que se segue encontram-se algumas palavras do texto. Complete-o de acordo com o exemplo.

VERBO	FORMA VERBAL	NOME
cruzar	*cruzam* – Presente do Indicativo	cruzamento
	Pretérito Perfeito do Indicativo	viagem
	celebrando – Gerúndio	
	pulam – Presente do Indicativo	
	Pretérito Imperfeito do Indicativo	consciência
	Futuro Imperfeito do Indicativo	escolha
	abraçarem – Infinitivo Pessoal	
	Gerúndio	distância
	tinham aderido – Pretérito Mais-que-Perfeito do Indicativo	
	beneficiaram – Pretérito Perfeito do Indicativo	
	usufruiu – Pretérito Perfeito do Indicativo	
		equilíbrio

1.5.1. **Escolha dois verbos e dois nomes e construa uma frase com cada um deles.**

1. ____

2. ____

3. ____

4. ____

2. **Um outro artigo sobre a "geração Erasmus" foi publicado no jornal *Expresso*. Reconstitua-o, reordenando as frases que aqui se apresentam cortadas e desorganizadas.**

Frase	Ordem
1. **motivam a maior parte destes estudantes. De tal forma que se estima que existam, anualmente,**	☐
2. **Ou não fosse esta uma opção a não desperdiçar.**	☐
3. **Barcelona, Londres, Estados Unidos, Paris, Bruxelas e Suíça**	☐
4. **O intercâmbio cultural e a notoriedade de uma licenciatura além-fronteiras e o valor desta "marca" no currículo e no mercado de trabalho,**	1
5. **Um estudo europeu recente que analisou as expectativas profissionais de cerca de 200 mil alunos,**	☐
6. **Nestes países estão algumas das melhores escolas da Europa. Os estudantes reconhecem o seu valor**	☐
7. **revela que os jovens portugueses figuram entre os mais disponíveis para uma experiência profissional e estudantil internacional.**	☐
8. **a circular pelas universidades europeias perto de três milhões de jovens estrangeiros.**	☐
9. **figuram entre os destinos preferenciais dos estudantes europeus que há muito se assumem como a geração dos "*globetrotters*".**	☐
10. **e sabem que este é um caminho que exige estratégia e preparação.**	☐

Cátia Mateus, *Expresso*, 6 de março de 2010 (com supressões)

3. **Junto dos seus colegas, tente saber:**

- quem já estudou num país estrangeiro? Como foi a experiência? Foi, de facto, uma aventura?
- quem nunca estudou num país estrangeiro? Por que motivos não o fez? E agora, seria capaz de se lançar nessa aventura?
- quem já veio ou gostaria de vir estudar para Portugal? Porquê?
- o que pensam deste dinamismo de intercâmbio académico, de estágios profissionais, de estudos e formação complementares? O que ganham, os que vão e os que os recebem?

4. Ouça esta informação do blogue de uma estudante portuguesa de Erasmus e, depois, classifique as afirmações como verdadeiras (V) ou falsas (F).

1. Daniela criou este blogue para obter informações sobre o programa Erasmus.	V☐	F☐
2. Foi com dificuldade que ela decidiu participar neste programa de estudos.	V☐	F☐
3. Para além das saudades que ia ter de Portugal, o que lhe ia custar mais era a viagem de avião.	V☐	F☐
4. Vai ficar instalada numa cidade parecida com a sua.	V☐	F☐
5. Ela vai frequentar a variante do curso em língua inglesa, destinada exclusivamente a estudantes europeus.	V☐	F☐
6. Quando soube que ia estudar na *Business Academy*, ela não ficou muito satisfeita.	V☐	F☐
7. A metodologia extremamente teórica da Academia agradou-lhe bastante.	V☐	F☐
8. Trata-se de uma Academia com uma metodologia centrada na empregabilidade futura dos seus alunos.	V☐	F☐

5. Também as tecnologias da informação e da comunicação facilitam o acesso a outros mundos académicos e ao seu saber. É toda uma outra maneira de estar na universidade que começa a mudar, como se pode confirmar pela leitura do seguinte artigo.

UNIVERSIDADE DE COIMBRA ESTÁ NO *ITUNES*

Loja *on-line* permite aceder gratuitamente a materiais produzidos pelas mais prestigiadas escolas do mundo

Não será o serviço mais conhecido do império da *Apple*, mas há quatro anos que a sua loja *on-line (iTunes store)* tem uma secção inteiramente dedicada a conteúdos produzidos pelas universidades — sejam aulas, conferências, visitas guiadas, palestras ou demonstrações em laboratório, descarregáveis para o computador, *iPhone* ou *iPad*, em qualquer altura, em qualquer lado e a custo zero. Portugal já lá está.

A Universidade de Coimbra (UC) juntou-se este ano ao *iTunes U (university)*, tornando-se a primeira e única instituição portuguesa a disponibilizar conteúdos áudio e vídeo nesta plataforma, ao lado de escolas como Stanford, Yale, MIT, Oxford ou Berkeley, só para nomear algumas das mais reputadas.

800 universidades de todo o mundo já estão no *iTunes U*, disponibilizando mais de 350 mil documentos áudio e vídeo. 300 milhões de *downloads* já foram feitos desde a abertura do *iTunes U*.

······>

"Em vez de nos limitarmos a estar dentro das escolas da UC passámos a estar dentro de um enorme centro comercial. Os nossos conteúdos científicos integram agora a maior loja digital do mundo, acessível em qualquer lugar", justifica um dos vice-reitores de Coimbra.

Na Era da globalização e do digital fazia todo o sentido aproveitar as tecnologias para quebrar barreiras físicas e difundir para um público mais alargado o "saber produzido na UC", continua. Afinal, existem em todo o mundo mais de 200 milhões de pessoas que falam português e que, não estando interessadas em tirar um curso superior, poderão querer saber mais sobre o acordo ortográfico, o património musical português do século XVII ou robótica industrial, algumas das coleções já disponíveis.

Com tantos conteúdos *on-line*, será que algum dia os alunos vão deixar as salas de aula e aprender através de documentos descarregados para os seus portáteis e telemóveis? O cenário não é assim tão futurista, admite António Dias Figueiredo, investigador e especialista em Engenharia Informática. "Como muitos professores já põem *on-line* os textos e materiais dados nas aulas, uma grande percentagem de estudantes só vai às que lhe interessa e estuda nos locais onde gosta de estar, com os amigos. Há até experiências que mostram que, para as novas gerações, este tipo de aprendizagem pode ser mais produtivo do que uma apropriação passiva do conhecimento nos grandes anfiteatros".

Ainda assim, Dias Figueiredo admite que o mundo de potencialidades aberto pelas novas tecnologias de informação e comunicação está por explorar. Quer em termos do ensino à distância quer da projeção internacional que permitem.

Isabel Leiria, *Expresso*, 26 de março de 2011 (com supressões)

5.1. De acordo com o texto, classifique como verdadeiras (V) ou falsas (F) as seguintes afirmações.

Afirmação	V	F
1. O *iTunes U* é dos serviços mais antigos e divulgados da *Apple*.	V ☐	F ☐
2. A UC foi pioneira em Portugal na adesão ao *iTunes U*.	V ☐	F ☐
3. O *iTunes U* é um serviço pré-pago ao alcance de todos os que tenham computador, *iPhone* ou *iPad*.	V ☐	F ☐
4. O objetivo deste serviço é facilitar o acesso ao conhecimento independentemente do local onde se está.	V ☐	F ☐
5. Uma das preocupações da UC é disponibilizar o saber ao enorme número de falantes de português que existem em todo o mundo.	V ☐	F ☐
6. Por enquanto, a UC dispõe apenas de três coleções no *iTunes U*.	V ☐	F ☐
7. A partir do momento em que o *iTunes U* surgiu, a maior parte dos estudantes deixou de frequentar as aulas.	V ☐	F ☐
8. Há quem defenda que este tipo de acesso ao saber pode fomentar uma construção mais ativa do conhecimento.	V ☐	F ☐

5.2. **Reescreva as frases do texto que a seguir se apresentam, substituindo os verbos destacados por outros com sentido equivalente.**

1. "... tem uma secção inteiramente dedicada a conteúdos produzidos pelas universidades..."	
2. "... só para nomear algumas das mais reputadas."	
3. "Em vez de nos limitarmos a estar dentro das escolas..."	
4. "... fazia todo o sentido aproveitar as tecnologias..."	
5. "... existem em todo o mundo..."	
6. "... põem *on-line*..."	
7. "... experiências que mostram que..."	
8. "... Dias Figueiredo admite que o mundo de potencialidades..."	

5.3. **Na sua opinião, frequentar as aulas ou descarregar os apontamentos e os materiais do professor proporciona uma aprendizagem idêntica? Como poderá o estudante beneficiar ao máximo de ambos os processos?**

5.4. **Acha que algum dia se chegará ao ponto de não ser preciso frequentar as aulas? Porquê?**

5.5. **Já alguma vez recorreu a um serviço deste género? Com que finalidades? E que vantagens lhe trouxe?**

Se nunca recorreu, sente-se tentado a fazê-lo ou não? Porquê? E em que área?

II. Aprender línguas.

1. **Leia o seguinte texto sobre a aprendizagem de línguas.**

FORMAÇÃO À MEDIDA

Os cursos livres das universidades portuguesas estão abertos a alunos destas instituições de ensino e comunidade em geral. Mas há cada vez mais interessados em conhecer a fundo determinados aspetos linguísticos de um idioma e, assim optam por uma formação à medida das suas necessidades.

Conversação em inglês, francês jurídico, inglês para fins académicos, alemão jurídico e inglês para fins empresariais, são alguns dos cursos especiais e intensivos previstos pelo Centro de Línguas da Faculdade de Letras da Universidade de Coimbra (CL/FLUC). "A maior parte das formações específicas resulta

......>

de um pedido por parte dos alunos e algumas foram sugeridas por profissionais da área. Ainda que o interesse se registe sobretudo na aprendizagem da língua para fins comunicativos, as áreas em causa possuem um léxico especializado, cujo domínio é absolutamente obrigatório", explica Joana Vieira dos Santos, diretora do CL/FLUC.

A criação de cursos especiais e intensivos começou há dois anos e podem sempre ser organizados outros a pedido, desde que exista um mínimo de 15 interessados. Fora desta formação mais específica, o inglês, seguido do espanhol e alemão, são as línguas mais procuradas dentro da oferta de cursos livres desta universidade que abarca também idiomas menos falados como o neerlandês, japonês e russo. "Há uma crescente procura de profissionais multilingues e os alunos têm consciência disso", salienta Joana Vieira dos Santos, que acredita mesmo que "o nosso crescimento demonstra que os alunos se consciencializaram da necessidade de serem poliglotas e procuram-nos com esse objetivo".

O Centro de Línguas da Faculdade de Letras da Universidade de Lisboa (CL/FLUL) realizou formações de tradução de alemão jurídico, alemão para medicina e inglês jurídico. Cláudia Fischer, diretora deste centro, conta que "sabendo que em determinados contextos profissionais um curso de língua geral não vai ao encontro das necessidades, organizamos estas formações que proporcionam estratégias para o uso de língua estrangeira num contexto específico". Está ainda previsto um curso de abordagem do texto jurídico alemão para juristas ou estudantes de direito sem quaisquer conhecimentos da língua. Cláudia Fischer acredita que "há um interesse crescente nestes cursos, porém, a necessidade de requererem uma presença assídua nas aulas torna-os por vezes incompatíveis com uma vida profissional absorvente". Daí que a formação de tradução de alemão jurídico se tenha realizado na modalidade de *b-learning*, com uma componente presencial e outra *on-line*. Para além destes cursos livres específicos, o CL/FLUL oferece desde os idiomas mais procurados como o inglês, alemão e espanhol até aos mais alternativos como o basco, catalão, árabe, grego moderno, romeno, etc. Cláudia Fischer explica que "há apetência para travar conhecimento com outras línguas mais minoritárias em Portugal, o que traz sempre consigo a vantagem da possível aplicabilidade no mundo do trabalho".

Maribela Freitas, *Expresso*, 5 de fevereiro de 2011 (com supressões)

1.1. Complete o quadro com informações do texto.

1. Instituições universitárias	______	______
2. Responsáveis pelos cursos de línguas	______	______
3. Tipo de cursos de línguas	______	______
4. Objetivos dos diferentes cursos	______	______
5. Línguas mais procuradas	______	______

1.2. Ao artigo anterior, foi retirado o parágrafo que a seguir se apresenta. Complete-o com as expressões adequadas.

para além do	capaz de	o responsável pelo	na perspetiva de	dentro de
sem dúvida	também	coordenador de	propostas de	cada vez mais

________________ Secundino Vigón Artos, ________________ línguas estrangeiras do BabeliUM – Centro de Línguas da Universidade do Minho, "uma pessoa que seja ________________ comunicar em vários idiomas terá, ________________, mais oportunidades laborais e os estudantes estão ________________ conscientes disso". ________________ ensino das línguas mais procuradas – inglês, espanhol, francês e alemão – este centro ensina árabe, checo, italiano, japonês, turco e polaco. Aposta ________________ em formações para fins específicos. "Temos ________________ alemão para engenheiros, de espanhol para negócios ou de italiano para serviços turísticos. Estes cursos cobrem necessidades específicas dos nossos formandos ________________ um setor determinado e são concebidos com finalidades específicas para o mundo profissional". ________________ BabeliUM acredita que os alunos destes e de outros cursos de línguas estão preocupados em valorizar o seu currículo e diferenciarem-se no mercado de trabalho.

Expresso, 5 de fevereiro de 2011 (com supressões)

1.3. Qual a diferença entre os cursos de língua geral e os cursos para fins específicos? Se lhe oferecessem um curso intensivo de duas semanas, escolheria um de que tipo? E em que língua?

1.4. Enumere algumas das vantagens pessoais e profissionais de se dominar uma ou várias línguas estrangeiras.

1.5. Já fez alguma formação *e-learning* ou *b-learning*? Que vantagens/desvantagens poderá apresentar este tipo de formação na aprendizagem de uma língua?

1.6. Explique as razões que o levaram a aprender português.

1.7. Na sua opinião, por que motivo certas línguas são preferidas em relação às outras? Acha que existem línguas mais importantes do que outras? Porquê?

1.8. Reflita com os seus colegas sobre a seguinte afirmação da UNESCO:

"O desaparecimento de uma língua leva à perda definitiva de uma parte insubstituível do conhecimento humano".

2. **Faz ideia de quantas línguas existem no mundo? E de quantas estão em vias de extinção? Para ter uma ideia, complete o texto com a forma verbal adequada.**

estão	morre	acabem	desaparecerão	existem	é	acarreta	representa	irão
faz	analisa	padroniza	lembra	usava	deve-se	sejam	entrarão	baseia-se

DIVERSIDADE CULTURAL EM VIAS DE EXTINÇÃO

Cerca de 90 por cento das línguas atualmente faladas no mundo ____________ até ao final do século, devido ao processo de globalização. Com 97 por cento da população mundial a falar um número de línguas que ____________ apenas quatro por cento do património linguístico mundial, os restantes idiomas ____________ num processo de extinção. Nove línguas ____________ predominar, incluindo o português.

Atualmente ____________ cerca de 6500 línguas diferentes em todo o mundo, das quais metade são faladas com pouca frequência. As chamadas línguas minoritárias e os dialetos ____________ sob forte ameaça de extinção. A informação ____________ da UNESCO, e ____________ num estudo que ____________ a pressão exercida pelas línguas dominantes, apontadas como principais responsáveis pela provável extinção de 90 por cento dos idiomas falados no planeta. Este organismo da ONU ____________ que o desaparecimento de uma língua ____________ a perda definitiva de uma parte insubstituível do conhecimento humano, uma vez que quando uma língua ____________ leva consigo a cultura do povo que a ____________. A principal causa deste processo de extinção ____________ à globalização, que ____________ o idioma de cada nação. Isso ____________ com que as línguas não oficiais ____________ por ser pouco valorizadas e ____________ faladas por um número cada vez menor de pessoas.

Carlos Reis

http://www.alem-mar.org/cgi-bin/quickregister/scripts/redirect.cgi?redirect=EEFZyZyklVawqCqSok

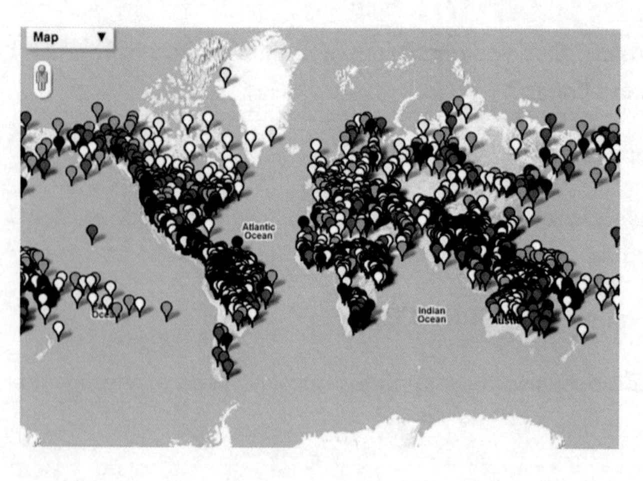

O mapa interativo das línguas em perigo no mundo, da UNESCO, mostra-nos um mundo coberto de pequenas bandeiras de alerta, com diferentes níveis de urgência. Consulte-o em:

http://www.unesco.org/culture/en/endangeredlanguages/atlas

III. Trabalhador-estudante?

1. Alguns jovens conciliam os estudos com uma atividade profissional. Será vantajoso? Leia o texto e conheça a opinião de alguns especialistas.

ESTUDAR E TRABALHAR

A importância de arranjar um *part-time* ou um estágio antes de trabalhar

Iniciar atividade antes do fim do curso pode ser um bónus na altura de entrar a sério no mercado de trabalho. Seja em *part* ou *full-time*, ou ainda um estágio de verão, na área para a qual está a estudar ou numa outra, contar com uma experiência profissional durante o curso vai enriquecer não só o currículo do candidato, como iluminá-lo sobre o funcionamento das empresas. E um empregador poderá mais tarde, numa entrevista decisiva, encará-lo como um profissional dinâmico, que não ficou quatro ou mais anos à sombra da bananeira.
Por outro lado, adquiriu conhecimentos que dispensam uma formação completa sobre os mecanismos empresariais. "O estágio, mesmo a meio do curso, também é muito importante. Aconselho todos os estudantes a terem atividades paralelas, a aceitarem estágios de verão. É cada vez mais importante terem contacto com o mercado", defende Ana Teixeira, da MRI Network.

A mesma opinião tem Sérgio Sousa, da Kelly Services, para quem "é muito importante" ganhar o máximo de experiência profissional ainda dentro do curso. "Para posições júnior, é vital os estudantes pensarem em ter uma ocupação em *part-time*", explica.
Mas atenção: embora atualmente seja raro empregos para toda a vida, acumular experiências de poucos meses pode não ser vantajoso numa entrevista.
"Todos os analistas concordam que um profissional terá cada vez mais experiências em pouco tempo e isso agrava--se com esta crise. Contudo, uma empresa que procure um quadro de gestão de longevidade vai perceber, por datas, qual a estabilidade do candidato", adverte Duarte Ramos, da Hays.
Este alerta ainda: "Quando estiver a terminar o curso, seja pró-ativo. Ainda há uma cultura de passividade". Já Ana Teixeira acrescenta: "Dois empregos num ano em início de carreira não é preocupante. Mas mais que isso e durante muito tempo, o empregador vai querer saber muito bem os motivos dessa instabilidade".

www.readmetro.com

1.1. Explique a ideia contida nas seguintes afirmações do texto.

- Iniciar atividade antes do fim do curso pode ser um bónus na altura de entrar a sério no mercado de trabalho.
- Um empregador poderá encará-lo como um profissional dinâmico que não ficou quatro ou mais anos à sombra da bananeira.
- Aconselho todos os estudantes a terem atividades paralelas.
- Quando estiver a terminar o curso, seja pró-ativo.

1.2. Concorda com a perspetiva apresentada nesta artigo? Fundamente a sua resposta, baseando-se na sua própria experiência e/ou em casos que conheça. Refira também se, no seu país, se defende também a mesma perspetiva.

1.3. Faça uma pequena apresentação aos seus colegas sobre a sua situação: formação e experiência profissional, planos e expectativas para o futuro...

1.4. Da lista de adjetivos que a seguir se apresenta, indique, e justifique, os que considera serem características positivas e negativas num profissional: dinâmico; comunicativo; convencido; empreendedor; rigoroso; impulsivo; pontual; passivo; convencido; flexível; orgulhoso; intransigente; ambicioso; exigente; sincero; reservado; indolente.

B. GRAMÁTICA e VOCABULÁRIO

1. Os estudantes de Erasmus *fazem-se à estrada*, isto é, põem-se a caminho, iniciam viagem.

1.1. Descubra o sentido de outras expressões com o verbo *fazer*.

1. fazer-se luz	☐ numa embarcação, abandonar o porto, dirigindo-se a mar alto
2. fazer de conta	☐ insinuar-se para obter alguma coisa; cortejar
3. fazer o diabo a quatro / fazer trinta por uma linha	☐ manifestar-se publicamente e de maneira agressiva ou desagradável
4. fazer vista grossa	☐ ser muito atraente
5. fazer figura de	☐ tornar-se muito educado e adulto
6. fazer-se ao piso	☐ mostrar a intenção de fazer alguma coisa
7. fazer uma cena	☐ reconhecer um erro, exprimir o seu arrependimento
8. fazer sombra a	☐ ser útil ou proveitoso
9. de fazer parar o trânsito	☐ ocupar o tempo enquanto se espera
10. fazer gala de	☐ fingir que não tem nada a ver com o assunto; fingir que não entende
11. fazer-se ao largo / fazer-se ao mar	☐ ser muito triste, muito comovente
12. fazer menção de	☐ fazer uma série de disparates
13. fazer *mea culpa*	☐ fingir que não vê alguém ou alguma coisa
14. fazer-se da melhor tinta	☐ causar determinada impressão
15. fazer arranjo	☐ ofuscar o mérito ou valor de alguém
16. fazer diferença a alguém	☐ tornar claro, compreensível
17. fazer-se desentendido / fazer-se de parvo	☐ substituir temporariamente
18. fazer horas	☐ fingir, simular
19. de fazer chorar as pedras da calçada	☐ ser inconveniente ou inoportuno para alguém
20. fazer a(s) vez(es) de	☐ vangloriar-se

1.2. Escolha cinco dessas expressões e construa uma frase com cada uma delas.

1. ______________________________
2. ______________________________
3. ______________________________
4. ______________________________
5. ______________________________

2. Utilize as seguintes preposições e locuções prepositivas de tempo para completar as seguintes frases.

durante	após	desde	até	em	de
a	entre	por	para	antes de	depois de

1. A maior parte dos jovens portugueses não tem nenhuma experiência laboral ________ aos 20 anos.
2. As prioridades femininas mudaram substancialmente ________ a entrada do século XX.
3. Johannes só vive em Portugal ________ Abril. Ele aprendeu a falar português ________ cinco meses.
4. ________ toda a minha permanência em Itália, vivi sempre com outros estudantes Erasmus.
5. Hoje em dia, são cada vez menos as mulheres que casam ________ terem uma situação laboral mais ou menos estável e é cada vez maior o número das que só têm filhos ________ os trinta anos.
6. Amanhã, ________ meio da tarde, há um encontro de estudantes Erasmus na faculdade para contarem as suas experiências.
7. Cerca de 90 por cento das línguas atualmente faladas no mundo vão desaparecer ________ ao final do século.
8. ________ maio, ainda ________ o último semestre de aulas, começas o teu estágio na Gulbenkian.
9. ________ horas de expectativa, soube finalmente que tinha passado na oral.
10. O prazo de inscrição para o curso livre de russo é ________ 15 ________ 30 do mês que vem.
11. ________ dois ________ dois anos faço um curso de reciclagem linguística, mas só de conversação.
12. ________ a uma e as duas horas da tarde, na minha faculdade, nunca há aulas.
13. Fixe! Ganhámos uma bolsa de estudo ________ um ano!
14. O início da formação *e-learning* está previsto ________ o início da próxima semana.
15. ________ ir a uma entrevista, deves preparar-te muito bem e, sobretudo, ter confiança em ti próprio.

......>

16. Se precisássemos, o professor arranjava sempre tempo para nos tirar dúvidas ________ uma aula e outra.

17. Quando nos inscrevemos, pensávamos ficar apenas ________ seis meses, mas acabámos por ficar ________ ao final do ano.

18. Este relatório tem de ficar pronto ________ amanhã. Estamos atrasadíssimos! Já são cinco ________ a meia-noite...

3. Utilize o quadro para completar o texto, estabelecendo as lógicas discursivas apropriadas.

CONCESSÃO	FIM
Mesmo que + **Conjuntivo**	***Para que*** ***A fim de que*** + **Conjuntivo** ***De modo a que***
Apesar de + **construção nominal**	***Para*** + **Infinitivo** ***A fim de***

________ no futuro a linguística não se resuma ao estudo de línguas mortas, a UNESCO reuniu um grupo de especialistas ________ elaborar um plano de salvamento dos idiomas. Colette Grinevald esclareceu que "é preciso preservar o território das comunidades e proteger as suas terras, ________ elas possam continuar a viver no seu ambiente. Os planos ________ se criarem escolas e implantar cursos bilingues são folclore tipo Disneylândia. Deve-se lutar contra a aculturação ________ as comunidades indígenas não se tornem monolingues, abandonando a sua cultura em prol da colonial".
________ as tendências atuais, os linguistas acreditam que o inglês, como língua universal, é uma hipótese tão viável como o utópico esperanto. ________ uma língua venha a dominar o mundo, num período de dez anos, ela sofrerá várias mudanças em diferentes países e culturas, e uma outra língua acabará sendo criada. A linguagem humana é bastante dinâmica.

http://www.alem-mar.org/cgi-bin/quickregister/scripts/redirect.cgi?redirect=EEFZyZyklVawqCqSok (adaptado)

4. Construa uma só frase, expressando a lógica discursiva indicada entre parênteses.

1. Muitos estudantes procuram cursos de línguas para fins específicos. Os conhecimentos jurídicos ou científicos numa língua estrangeira podem fazer a diferença na procura de emprego. (CAUSA)

____

······>

2. O CL/FLUL organizou uma formação de alemão para engenheiros. O CL/FLUL não sabia se teria muitas inscrições. (CONCESSÃO)

3. O programa Erasmus deve o seu nome ao filósofo holandês Erasmo de Roterdão. Erasmo de Roterdão percorreu a Europa no século XV. (CAUSA)

4. Erasmo de Roterdão viveu e trabalhou em vários locais da Europa. Ele queria expandir e ganhar novos conhecimentos. (FIM)

5. São vários os estudantes que desejam um trabalho a tempo inteiro. A maior parte deles só consegue um *part-time*. (CONCESSÃO)

6. O número de estudantes Erasmus aumenta todos os anos. A experiência Erasmus reforça a cidadania e oferece experiências culturais e linguísticas enriquecedoras. (CAUSA)

7. Hoje em dia, a presença feminina nas universidades é maior do que a masculina. O desemprego afeta mais o universo feminino que o masculino. (CONCESSÃO)

8. Existem cerca de 6700 línguas faladas atualmente em todo o mundo. Cerca de 80 por cento das línguas do mundo são faladas apenas nos seus países de origem. (CONCESSÃO)

9. É importante fazer dicionários, gramáticas e escrever as lendas de cada língua. Cria-se, assim, a sua memória. (FIM)

10. O mandarim é o idioma mais falado do mundo. O mandarim é falado em poucos países. (CONCESSÃO)

11. O linguista David Crystal defende o ativismo linguístico. Ele acha indispensável proteger os idiomas ameaçados. (CAUSA)

12. A 21 de fevereiro comemora-se o dia internacional da Língua Materna. O seu objetivo é proteger e salvaguardar as línguas faladas no planeta. (FIM)

13. Existem línguas, como a basca, que são únicas. Não procedem de nenhuma família linguística conhecida. (CAUSA)

____

5. Complete o quadro, formando palavras com os sufixos indicados.

ADJETIVOS	NOMES	VERBOS	NOMES
-dade / -eza / -ura		-ação / -agem / -or	
hábil		**continuar**	
terno		**viajar**	
belo		**aspirar**	
branco		**lavar**	
cruel		**marcar**	
certo		**grelhar**	

NOMES	ADJETIVOS	VERBOS	ADJETIVOS
-ico / -oso / -ano		-ável / -ível	
esperança		**destacar**	
Alentejo		**eleger**	
dúvida		**lavar**	
ritmo		**desejar**	
Itália		**beber**	
álcool		**substituir**	

ADJETIVOS	VERBOS	NOMES	VERBOS
-ar / -izar / -ificar			
social		**dose**	
limpo		**moral**	
intenso		**tónico**	
suave		**alimento**	
húmido		**líquido**	
homólogo		**limite**	

C. ORTOGRAFIA e PRONÚNCIA

1. Complete as palavras com c ou qu. Em seguida, ouça as palavras para confirmar o som.

C [k]	ou	QU [k]

músi___a	___intal	pe___enez	___urva
___urtir	re___omendar	or___estra	re___inte
re___erer	___eimadura	robóti___a	tentá___ulo
___ontroverso	re___urso	is___eiro	tos___iar
dis___ussão	pa___ete	re___eijão	conse___utivo
es___ina	___uco	e___ivalente	relí___ia
ra___itismo	sa___o	___alçada	signifi___ativo
pelí___ula	___ímica	bura___o	___ara___ol
físi___o	ra___ete	tru___e	se___estrar
pan___ada	tan___e	con___istador	___auteloso

D. PRODUÇÃO ESCRITA

O Programa Erasmus, estabelecido em 1987, é um programa de apoio interuniversitário de mobilidade de estudantes e docentes do ensino superior entre Estados-membros da União Europeia e estados associados e tem como objetivo encorajar e apoiar a mobilidade académica de estudantes e professores do ensino superior.

Imagine que está interessado em participar no programa, mas ainda está indeciso e cheio de dúvidas.

1. **Escreva uma carta (120 a 150 palavras) à associação académica da instituição que pretende frequentar e**

   - esclareça as suas intenções;
   - exprima as suas dúvidas e receios;
   - solicite informações sobre:
     – o funcionamento e características da instituição;
     – metodologia e avaliação do curso;
     – ambiente entre estudantes e professores;
     – aspetos gerais da vida da localidade onde vai ficar (hábitos e costumes).

OU

2. **Se já fez um programa destes (ou com características idênticas) escreva um *post* (120 a 150 palavras) para o blogue da associação, dando conta de toda a sua experiência desde a expectativa inicial até aos sentimentos no regresso.**

E. TAREFA

Há um povo na Austrália que tem uma palavra precisa para dizer o cheiro da chuva. Na Colômbia, há uma comunidade cuja língua tem uma palavra única para expressar o deslumbramento exagerado perante a beleza. Para preservar uma tão rica capacidade de expressão, estes povos estão dependentes da defesa dos seus direitos culturais e, no plano internacional, dos resultados de resoluções como a adotada em outubro de 2005 pelo Parlamento Europeu: a «Convenção sobre a Diversidade Cultural», que pretende defender o multilinguismo e o respeito pelas culturas.

http://www.alem-mar.org/cgi-bin/quickregister/scripts/redirect.cgi?redirect=EEFZyZyklVawqCqSok

Festeje as línguas e toda a sua riqueza.
Consulte o *site* da UNESCO, escolha uma das línguas em vias de extinção, faça uma pequena pesquisa sobre ela e apresente-a aos seus colegas.

NO TRABALHO

UNIDADE 10

I. Mudar de vida.

1. É no meio da vida que se repensa a forma de viver: como ter mais tempo livre, menos ansiedade e mais qualidade no relacionamento com os outros. Conheça alguns exemplos de quem decidiu mudar de vida.

TROCARAM CARREIRAS

NA BANCA E NA PUBLICIDADE PARA SEGUIREM CONVICÇÕES RELIGIOSAS OU TEREM MAIS TEMPO PARA SI E DECIDIRAM TOMAR A DECISÃO ANTES QUE ALGUÉM O FIZESSE POR ELES.

Começa por ser um sonhar acordado que se insinua à medida que os dias avançam, um atrás do outro sem cor nem sentido. Aos poucos, a paciência dilui-se e abre caminho à revolta, tornando cada vez mais inúteis os esforços para segurar as pontas. Atingido esse nível, o refrão da canção de António Variações sintetiza tudo: *Se tu não vives satisfeito / está sempre a mudar / não deves viver contrafeito / muda de vida se há vida em ti a latejar*. Conscientemente ou de forma instintiva, há quem ouse sair da caixa e, em sede própria, assuma o papel de realizador e reescreva, por completo, o guião do seu filme.

"*A única chave que existe, está na fechadura*", diz Cláudia, enquanto bate a porta e se prepara para atravessar o terreno que liga a sua casa ao monte de turismo rural. Mas há outros motivos que fazem esta ex-psicóloga orgulhar-se de ter deixado Lisboa, aos 27 anos, escolhendo o Alentejo para residência. "*Não há dia sem um raio de sol, os miúdos andam por aí à vontade, vivo descansada.*" Foi a paixão por um suíço, dez anos mais velho do que ela, que a fez mudar de vida e montaram um restaurante num monte. Estava sempre cheio. Muitas vezes, era preciso arranjar cama para visitantes de última hora e resolveram transformar o espaço em turismo rural. No fim do verão, apanham pinhas; com as primeiras chuvas, vêm os cogumelos, as bolotas. "*O que podíamos querer mais?*"

Com o nascimento do seu filho mais velho e após dez anos a trabalhar em ensino especial e como monitora de informática, Margarida abraçou um nova causa: a maternidade vivida em pleno. "*Mudei completamente, descobri um mundo novo.*" É voluntária numa linha SOS e acompanha o crescimento dos três filhos, com 3, 5 e 7 anos. Ainda chegou a trabalhar contrariada, a tempo parcial, mas quando foi novamente mãe fez contas com o marido, advogado de profissão, e decidiu ficar em casa. Não se arrepende de nada e fez uma descoberta: "*Ter um patrão é coisa que já não me cabe na cabeça.*"

Clara Soares, *Visão*, 5 de março de 2009 (adaptado)

1.1. **Comente as palavras de Paul McKenna, autor do livro *Mude a Sua Vida em Sete Dias*, e relacione-as com os dois exemplos apresentados no texto:**

"Não tem de assumir a responsabilidade pelas cartas que lhe foram distribuídas, mas está nas suas mãos a forma de as jogar."

2. **Analise com os seus colegas todos os casos de mudança de vida que se seguem.**

Estes são alguns tópicos que podem servir de orientação para a discussão: mudança mais drástica; o caso que mais o fascinou; coragem ou fraqueza; incapacidade de adaptação; falta de ambição.

A

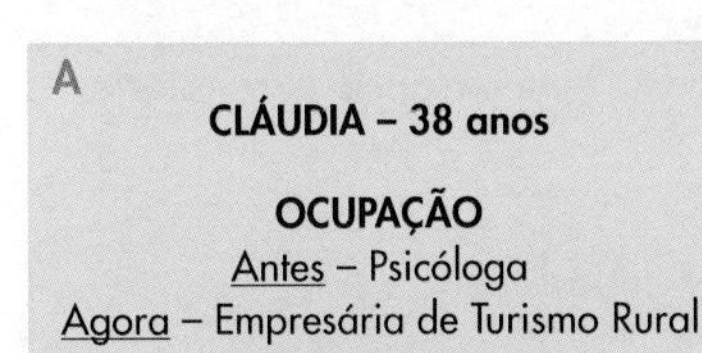

CLÁUDIA – 38 anos

OCUPAÇÃO
Antes – Psicóloga
Agora – Empresária de Turismo Rural

MOTIVO DA MUDANÇA
A oportunidade e... uma nova paixão

B

FERNANDO – 32 anos

OCUPAÇÃO
Antes – Licenciado em Comunicação Social e Cultural
Agora – Finalista da Licenciatura em Radiologia

MOTIVO DA MUDANÇA
Desempregado durante 4 anos

C

MARGARIDA – 34 anos

OCUPAÇÃO
Antes – Monitora de Informática
Agora – Mãe, voluntária da linha SOS amamentação

MOTIVO DA MUDANÇA
Acompanhar o crescimento dos três filhos

D

MIGUEL – 35 anos

OCUPAÇÃO
Antes – Gestor de conta num banco
Agora – Seminarista

MOTIVO DA MUDANÇA
Chamamento divino

E

GONÇALO – 42 anos

OCUPAÇÃO
Antes – *Designer* gráfico e surfista
Agora – Professor de meditação/Retiros/Surfista

MOTIVO DA MUDANÇA
Satisfação e contentamento interior

F

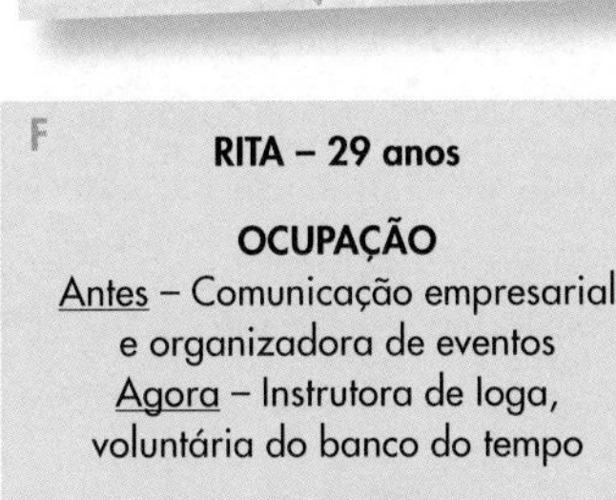

RITA – 29 anos

OCUPAÇÃO
Antes – Comunicação empresarial e organizadora de eventos
Agora – Instrutora de Ioga, voluntária do banco do tempo

MOTIVO DA MUDANÇA
Ter tempo para si e para os outros

2.1. Individualmente ou em grupo, relacione cada uma das frases com um dos casos apresentados e justifique a sua escolha.

1. Um longo período da sua vida em *stand by*, com o diploma a ganhar pó, foi o suficiente para desejar mudar de rumo.	☐
2. "Estamos mais atentos à natureza e vivemos de forma mais instintiva."	☐
3. "Angustiava-me pensar que estava a perder os primeiros passos deles, as primeiras palavras."	☐
4. "A estrutura de valores sem sentido e a incessante inquietação que me rodeava não me satisfazia. Não era maneira de viver."	☐
5. "Ganhei uma nova consciência do corpo, a necessidade de dormir bem, comer bem. Senti um apelo para estar mais comigo e com os outros."	☐
6. Apesar das dúvidas e incertezas, sente-se mais feliz e livre, graças a uma fé inabalável.	☐

2.2. Qual dos casos considera uma mudança mais drástica? Justifique.

2.3. Conhece algum caso que se enquadre bem no grupo de exemplos dados?

II. Novas profissões num mundo em constante mudança.

SERVIÇOS PARA TODA A OBRA

Quando se fala em prestação de serviços, **a primeira ideia que vem à mente** é a casa e todo o tipo de tarefas que nela se incluem. Limpar móveis, aspirar, lavar, estender, apanhar e passar a roupa, cozinhar e arrumar o lar são trabalhos pesados para quem tem filhos pequenos e uma carreira profissional. Mas não só. A vida social de um jovem solteiro pode ser de tal forma agitada que a disponibilidade para tratar dos afazeres domésticos acaba por ser pouca ou nenhuma.

Um problema para muitos e uma oportunidade de negócio para outros. Foi o caso de Jorge Gonçalves que em 2009 inaugurou a *Donas de Casa Desesperadas*: "A ideia de formar a empresa surgiu num jantar de amigos quando, em conversa, nos apercebemos da dificuldade que hoje existe em encontrar uma empregada doméstica, principalmente nas grandes cidades. Nesse momento, houve vários casais que se identificaram com a situação, sendo também unânime a escassez de tempo para procurar esses serviços, bem como a falta de confiança e de segurança a que a casa de cada um era exposta."

Da ideia para a ação não demorou muito e em maio do mesmo ano estava tudo pronto. "Criámos uma empresa que proporcionasse serviços de assistência doméstica, essencialmente empregados de

······>

limpeza, onde nos responsabilizaríamos por todo o processo de recrutamento e seleção dos profissionais, burocracias dos contratos, bem como pela assistência mensal."

A empresa oferece vários serviços: "**Os nossos *produtos bandeira*** são as empregadas especializadas em ensino, que dão, simultaneamente, apoio escolar aos filhos, e as que cozinham refeições tendo por base uma dieta estabelecida. Nesta área, disponibilizamos ainda **equipas de limpeza SOS**, governantas e mordomos." Na *bricolage*, a empresa executa qualquer tipo de reparação na casa do cliente, desde o arranjo de persianas, à substituição de fechaduras ou pinturas.

No **"menu" dos serviços** que se podem requisitar existe também a jardinagem: "Além de fazermos **manutenção de espaços verdes** já existentes, elaboramos o projeto, criamos e decoramos novos espaços."

A lista ao dispor dos clientes é grande: *baby-sitting*, *dog walking*, engomadoria, motorista, organização e apoio a jantares, apoio a idosos e recolha de bens após falecimento de familiares. Basicamente, esta empresa executa todos os pedidos que os clientes solicitem para sua casa.

Lídia Belourico, *Notícias Magazine*, 10 de outubro de 2010 (adaptado)

1. **Já conhecia alguma empresa que prestasse este tipo de serviços?**
2. **Acha que no mundo atual se justifica a disponibilização de todos estes serviços? Justifique a sua resposta.**
3. **Que tipos de serviços são mais procurados no seu país?**
4. **Muitas profissões antigas foram desaparecendo e outras foram surgindo. Na coluna da esquerda encontra algumas profissões que em Portugal caíram em desuso. Acrescente outras de que se lembre e na coluna da direita escreva outras que se relacionem com os tempos modernos. Compare as suas respostas com as dos seus colegas.**

1. Aguadeiro	
2. Ardina	
3. Lavadeira	
4. Limpa-chaminés	
5. Ferro-velho	
6. Governanta	
7. Amola-tesouras	
8. Moço de fretes	
9. Vendedora de figos	
10. Varina	
11.	
12.	
13.	

5. **Explique por palavras suas as seguintes expressões de acordo com o contexto em que estão inseridas.**

- "... a primeira ideia que vem à mente..."
- "Da ideia para a ação não demorou muito..."
- "Os nossos produtos bandeira..."
- "... equipas de limpeza SOS..."
- "... 'menu' dos serviços..."
- "... manutenção de espaços verdes..."

6. **No texto pode encontrar três estrangeirismos utilizados na língua portuguesa: *bricolage*, *baby-sitting*, e *dog walking*.**
Como se pode dizer o mesmo em português?

III. O exercício físico e o trabalho.

1. **Sabia que a prática de exercício físico, para além de saudável, pode contribuir para uma maior produtividade no trabalho?**

Leia o artigo e saiba porquê.

LEVAR O GINÁSIO À EMPRESA

Se as pessoas não vão ao ginásio, então é preciso levar o ginásio às pessoas. Esta é a ideia que presidiu à criação de algumas empresas que se propõem pôr os trabalhadores a fazer exercício físico nos locais de trabalho – além de promover o bom ambiente entre colegas e ajudar a descontrair, é também uma forma de prevenir lesões "profissionais" que podiam traduzir-se em custos para os empregadores.

"São aulas de ginástica que não causam fadiga nem transpiração" informa a professora, que reconhece que "são cada vez mais as empresas que apostam no bem-estar dos trabalhadores e que ajudam a prevenir as doenças no trabalho". "Para quem não vai ao ginásio, nós levamos o ginásio à empresa", afirma.

A *Feel Active*, para além da ginástica laboral, "pretende melhorar a qualidade de vida dos trabalhadores" e "procura prevenir as lesões musculosqueléticas relacionadas com o trabalho derivadas do esforço repetitivo". João Ferreirinha diz que quando começaram com o projeto da *Feel Active* acharam que os maiores clientes "seriam de empresas fabris, como as de calçado, por exemplo. Acontece que a aceitação tornou-se maior em empresas ligadas ao trabalho de escritório".

······>

Gisela Lima fala da experiência que teve numa empresa de *telemarketing* em que havia lesões "devido ao uso do telefone junto ao ouvido, em vez do uso de auscultadores. Eles eram fornecidos aos trabalhadores, mas não os usavam". "Cerca de 24 por cento dos trabalhadores da União Europeia sofre de lombalgias e 22 por cento de dores musculares", lê-se no material fornecido pela *Feel Active*.

A empresa providencia outros serviços como o trabalho da dinâmica de grupo, *stress* ocupacional e *workfitness*, com atividade física depois do trabalho. Com a ginástica laboral garantem que "os efeitos são positivos na produtividade, além de ajudar a gerar bom ambiente", informam, apoiados em estudos sobre a temática. Mas os serviços que prestam às empresas não se cingem à ginástica laboral. "São feitas análises de correção postural e o nosso trabalho é transposto também para fora do local de trabalho dando conselhos para uma alimentação e um estilo de vida mais saudáveis", explica Gisela Lima.

A grande aposta da *Feel Active* está na prevenção "para diminuir baixas e doenças ligadas ao exercício profissional e diminuir a incidência de problemas físicos crónicos". A professora bate à porta dos escritórios e convida todos para as aulas de ginástica laboral." A ideia é que todos participem, mas muita gente não consegue disponibilizar 15 minutos para relaxar e aprender exercícios que podem prevenir muitas doenças laborais", adverte Gisela Lima. A aula começa com alongamentos "e ajuda a largar a preguiça do fim de semana", dizem alguns dos trabalhadores. "Respirar fundo e deitar o ar cá para fora", sugere a professora, enquanto faz os alongamentos iniciais.

"Juntar grupos proporciona o contacto e o convívio de colegas que muitas vezes nem se falariam por estarem tão embrenhados no trabalho. Por isso, as aulas também ajudam na coesão do grupo".

Na avaliação do programa, os resultados revelaram que as pessoas sentiram melhorias em relação ao espírito de grupo, à interação entre colegas e ao humor no trabalho, verificando-se ainda a diminuição do *stress* em algumas pessoas e a melhoria da motivação no trabalho.

A funcionar para já só a sul do país, a *WorkWell* nasceu pela mão de quatro profissionais da área da Educação Física e Desportiva, com um projeto para implementar programas de ginástica laboral. "Mais do que tratar", dizem, "o objetivo é prevenir as lesões musculosqueléticas relacionadas com o trabalho". João Borges, da *WorkWell*, afirma que têm "alunos dos mais altos quadros até aos sectores de produção/operário. Muitas vezes fazem as aulas juntos, o que promove um ótimo ambiente dentro da empresa, sendo um exemplo para todos". Os exercícios são realizados no local de trabalho e os materiais são fornecidos pela *WorkWell*. "A única coisa de que os trabalhadores necessitam é de vontade de relaxar, enquanto previnem o aparecimento de lesões e melhoram a sua saúde e condição física geral", clarifica João Borges. "Está provado cientificamente que a prática regular de ginástica laboral reduz os níveis de *stress* no trabalho, melhora a capacidade de concentração, a condição física, e daí a capacidade de trabalho, melhorando também a relação entre colegas de trabalho". "Outro dos objetivos é a sensibilização para os hábitos de vida saudável, que tanta falta fazem entre os portugueses. Acaba por ser a nossa vertente mais educativa e formativa, que tem apresentado resultados muito positivos", informa.

"Muitas empresas procuram-nos devido ao facto de terem grandes despesas com doenças ocupacionais, acidentes de trabalho e problemas de motivação e produtividade", revela João Borges.

No final, a avaliação mostra que o objetivo é alcançado. Verificam-se resultados bastantes positivos na qualidade de vida dos colaboradores como a diminuição da fadiga, diminuição de algumas lesões musculosqueléticas relacionadas com o trabalho e mesmo com a tensão diária e, igualmente, uma maior interação entre os colaboradores traduzindo-se tudo isto numa maior motivação não só a nível profissional, como também pessoal.

Susana Ribeiro, *Notícias Magazine*, 21 de fevereiro de 2010 (adaptado)

2. Quais são as vantagens referidas para as empresas que recorrem a este tipo de serviços?

3. Concorda com os argumentos apresentados pelas duas empresas referidas no artigo? Se dirigisse uma empresa poria a hipótese de recorrer a estes serviços? Justifique a sua resposta.

4. Considera que qualquer empresa pode oferecer estes serviços aos seus trabalhadores? Porquê?

5. Refira os três maiores benefícios e as três maiores desvantagens que, na sua opinião, a oferta de exercício físico na empresa pode ter para os trabalhadores.

VANTAGENS	DESVANTAGENS

IV. Oferece-se emprego.

GESTOR IMOBILIÁRIO

- Bom conhecimento do mercado
- Boa capacidade de negociação
- Enérgico
- Boa apresentação
- Residente na zona de Leiria

PILOTO

- Com *brevet* de piloto comercial
- Idade inferior a 35 anos
- Responsável
- Capacidade de decisão
- Disponibilidade imediata

DESIGNER

- Bons conhecimentos do ramo têxtil
- Capacidade de trabalho em equipa ou individual
- Criativo
- Dinâmico
- Bons conhecimentos de Francês (escrito e falado)

INFORMÁTICO/A

- Bons conhecimentos das linguagens de programação.
- Licenciatura em Engenharia Informática (preferencial)
- Capacidade de inovação
- Espírito de equipa

TRADUTOR/A

- Bom domínio das línguas inglesa e italiana (falado e escrito)
- Disponibilidade para deslocações
- Capacidade de usar plataformas informáticas
- Experiência mínima de 5 anos

ENFERMEIRO/A

- Experiência em serviço hospitalar
- Disponibilidade para trabalho por turnos
- Boa capacidade de relacionamento humano
- Capacidade de iniciativa

1. **Complete os espaços com as letras que faltam de modo a ter um adjetivo que se adeque a cada definição.**

1. Aquele que chega sempre a horas	_ O _ _ _ _ L
2. Aquele que não falta	_ _ S _ _ _ _
3. Pessoa que cumpre os seus compromissos	_ _ _ P _ _ S _ _ _ _
4. Em quem se pode confiar	H _ _ _ S _ _
5. Que gosta de ajudar	_ _ _ S _ _ _ _ L
6. Que tem capacidade de convencer os outros	P _ _ S _ _ _ I _ _
7. Que tem imaginação	_ R _ _ _ _ V _
8. Aquele que realiza o seu trabalho com eficácia	_ F _ _ _ _ _ _ E
9. Que não se irrita nem desespera com facilidade	P _ _ _ _ _ _ E
10. Aquele que dificilmente demonstra nervosismo	C _ _ _ _

2. **Relacione os adjetivos com as profissões dos anúncios e justifique as suas escolhas.**

3. **Ouça as opiniões de Margarida, psicóloga clínica, e Vítor, médico psiquiatra, numa reflexão sobre o tema "Vocação Profissional", no programa *Pensamento Cruzado*, transmitido diariamente na estação de rádio TSF. Em seguida, assinale se as afirmações são verdadeiras (V) ou falsas (F).**

		V	F
1.	Margarida e Vítor partilham a mesma opinião sobre o assunto.	☐	☐
2.	Os pais devem tentar aperceber-se das competências dos filhos.	☐	☐
3.	A maior parte dos pais tenta aconselhar os seus filhos a seguirem a sua vocação e interesses.	☐	☐
4.	No exemplo que a Margarida refere, o pai interessou-se, desde o início, em saber quais os interesses e vocação do filho.	☐	☐
5.	Muitos pais tendem a influenciar os filhos a seguirem uma carreira que eles gostariam de ter seguido.	☐	☐
6.	Para Margarida, a decisão da carreira profissional a seguir não depende unicamente da competência revelada.	☐	☐
7.	Vítor defende que a realização profissional geralmente deriva de um processo de racionalização que deve ser realizado.	☐	☐
8.	Ambos consideram que os pais não devem ter qualquer interferência na escolha da carreira profissional dos filhos.	☐	☐

B. GRAMÁTICA e VOCABULÁRIO

1. Gerúndio Composto.

Forma-se com o verbo auxiliar **ter** no **Gerúndio** e o **Particípio Passado** do verbo principal.

ter		*verbo principal*
Gerúndio	+	Particípio Passado

O **Gerúndio Composto** indica uma ação já terminada em relação à ação principal.

EXEMPLO: ***Tendo chegado*** *tão atrasado ao escritório, viu-se obrigado a sair bastante mais tarde nesse dia.*

1.1. Reescreva as frases utilizando o Gerúndio Simples ou Composto.

1. Se enviares o teu currículo por via eletrónica, será mais rápido.

___

2. Como já tinha terminado o relatório, o diretor deixou-o sair um pouco mais cedo.

___

3. Nós chegámos tão cedo ao restaurante que tivemos de esperar por elas 45 minutos.

___

4. Quando eu recebi o meu primeiro salário, convidei-o para jantar.

___

5. Como ela não fala inglês, vai ser difícil arranjar trabalho na área de turismo.

___

6. Quando me apercebi que não tinha dinheiro, tive de voltar a casa.

___

7. Sem nunca teres tentado concorrer, como podes dizer que não consegues esse lugar?

___

2. Complete as frases com os verbos no tempo correto.

1. **poder**

Quando ________________, traz-me a agenda que está em cima da minha secretária, por favor.

Se ela ________________, ter-me-ia trazido a minha agenda.

No caso de ________________ passar pelo meu escritório, trazes-me a minha agenda?

2. **ver**

Apesar de ________________ o anúncio no jornal, não se candidatou ao lugar de assistente de direção.

Embora ________________ esse anúncio, não se quis candidatar.

________________ esse anúncio no jornal, ela candidatou-se de imediato ao lugar.

3. **vir**

________________ quando ________________, vocês sabem que podem contar connosco.

Vamos ter de ficar aqui à espera até que ela ________________.

Sempre que ele ________________ visitar-me, eu levava-o a esse parque.

4. **fazer**

Depois de ________________ esse curso de especialização, arranjei logo trabalho.

Os pais devem aconselhar os filhos a ____________ um curso de acordo com a sua vocação e interesse.

É melhor ________________ o mestrado para ficarmos com o curso completo.

5. **ter**

Hoje em dia, é imprescindível que os jovens ________________ um espírito inovador.

Se eu ________________ oportunidade, teria seguido uma carreira diferente.

Eles ________________ muita sorte com o trabalho que arranjaram.

3. Complete o texto com os verbos conjugados no tempo adequado.

valer	ter	ser	durar	prolongar-se	consumir
habituar-se	correr	optar	criar	sentir-se	chegar

······>

AMANHÃ, ÀS 14H30, NA SALA DE REUNIÕES (NÃO FALTAR!)

As reuniões de trabalho __________ cada vez mais tempo em Portugal. Mas há truques para que __________ melhor.

Uma empresa do sector automóvel decidiu obrigar cada pessoa que __________ atrasada a depositar um euro num porquinho mealheiro existente na sala de reuniões. E de nada __________ ao retardatário desculpar-se com o trânsito caótico, as dificuldades no estacionamento, ou na versão mais genérica mas igualmente popular, com "problemas urgentes de última hora". Em pouco tempo, o mealheiro deixou de ser necessário porque as pessoas __________ a chegar a horas.

Há formas de conferir maior eficácia às reuniões. Proibir os telemóveis é meio caminho andado para evitar que uma reunião __________ demasiado. Outra regra é nunca fazer uma reunião que __________ mais de uma hora e meia, pois ao fim desse tempo já ninguém __________ posição na cadeira. O formato das mesas também influencia. O ideal é __________ redondas, para que todos __________ em pé de igualdade.

É fundamental que quem lidera uma reunião a prepare e __________ condições para que os que vão participar se preparem também, __________ por enviar os documentos importantes com antecedência em vez destes serem lidos durante a reunião.

Natália Faria, *Público*, 20 de janeiro de 2009

4. Faça a correspondência entre os seguintes estrangeirismos e as palavras portuguesa correspondentes.

1. *meeting*	• esboço
2. *match*	• digitalização
3. *revanche*	• audição
4. *gaffe*	• cavalheiro
5. *crachat*	• reunião
6. *scanning*	• correio eletrónico
7. *background*	• lembrança
8. *casting*	• deslize
9. *croquis*	• desforra; vingança
10. *gentleman*	• formação
11. e-*mail*	• insígnia
12. *souvenir*	• desafio

······>

5. Complete o texto com as palavras que se encontram dentro do quadro.

em	ou	por	de	muitos	por	criou	falta
são	vêm	mal	às	aqueles	excesso	vale	parte

A sociedade moderna está doente. ________ tudo com a desculpa da competitividade. Isso ________ uma grande desumanização. Há uma grande ________ de capacidade por ________ das chefias ________ perceber que as pessoas não ________ parafusos ________ uma máquina gigantesca.

Marginalização no trabalho, desvalorização, humilhação ________ exaustão são as queixas que o psiquiatra mais ouve no consultório. A maior parte das pessoas sente-se humilhada e ________ compreendida; ________ sentem desespero ou culpa ________ não conseguirem corresponder ________ expectativas. Há ainda ________ que, por serem demasiado perfeccionistas, não conseguem aceitar o fracasso laboral.

Depois da marginalização ou do ________ de horas no trabalho, ________ as consequências psíquicas: as insónias, a impulsividade e, ________ vezes, a agressividade.

6. Relacione os verbos com as palavras que se encontram na coluna da direita e forme expressões. Explique o seu significado.

1. marcar
2. candidatar-se
3. estar
4. meter
5. trabalhar
6. ser
7. mudar
8. chegar
9. enviar
10. trabalhar

- de emprego
- férias
- de baixa
- a horas
- por conta própria
- o currículo
- a um emprego
- uma reunião
- por turnos
- promovido

C. ORTOGRAFIA e PRONÚNCIA

1. Complete as palavras com x ou ch. Em seguida, ouça as palavras para confirmar o som.

X [ʃ]	ou	CH [ʃ]

quei___o	___aminé	engra___ar	fle___a	li___o
encai___ar	___uto	amei___a	en___ame	fe___adura
rou___inol	___arope	bru___a	pu___ador	___ávena
___aile	repu___o	___umbo	___adrez	mo___ila

2. Coloque as palavras na coluna adequada, de acordo com a pronúncia do x assinalado em cada uma delas. Em seguida, ouça as palavras e verifique se as colocou corretamente.

exequível excerto eixo máximo enxugar sexo exaustivo sexto exímio léxico extremo fixo aproximar exibição auxiliar

X			
[ʃ] mexer	[Ks] fixar	[z] executar	[s] próximo

D. PRODUÇÃO ESCRITA

Em resposta a um anúncio que viu no jornal, escreva uma carta de apresentação e o seu currículo para se candidatar a esse lugar. Pode encontrar na *internet* um modelo de currículo europeu.

E. TAREFA

1. **Num trabalho individual ou em grupo, faça uma pesquisa/inquérito/discussão sobre um dos seguintes temas e apresente aos seus colegas as conclusões a que chegou.**

- *Bullying* no trabalho
- Profissões em crise e profissões na moda
- Escolha de uma carreira profissional: realização material ou realização pessoal? Será possível alcançar ambas?
- O desemprego no mundo atual: resolução à vista?

Textos para compreensão oral

UNIDADE 1

A. TEXTOS, CONTEXTOS e PRETEXTOS

I. Vamos conhecer-nos?

1. (PÁGINA 10, FAIXA 2)

Sou a Maria. Sou espanhola, de Valência. Sou enfermeira e estudo português há um ano numa escola de línguas da minha cidade. Gosto muito de Portugal. Tenho lá muitos amigos e gostava de trabalhar durante algum tempo num hospital ou num centro de saúde naquele país. No meu tempo livre gosto de ir ao cinema, ler livros de ficção e adoro ouvir música. Não sou uma pessoa muito desportiva, mas tento ir nadar uma ou duas vezes por semana. Não viajo muito, mas a minha viagem preferida foi no ano passado, em Portugal. Passei lá duas semanas de férias fantásticas. Também gostava de ir ao Brasil, mas não sei quando irei. O português não é uma língua fácil. Para mim, os "falsos amigos" são um problema.

Chamo-me Hiroshi Tanaka e sou japonês, de Osaka. Sou engenheiro eletrotécnico e trabalho numa empresa japonesa perto de Lisboa há um ano e meio. Falo inglês bastante bem e já estudo português há dois anos, mas ainda não falo bem. O português é uma língua difícil para os japoneses, pois tudo é diferente e novo. Compreendo bem a gramática, mas o mais complicado, para mim, é falar. Os japoneses gostam muito de viajar, por isso, aproveito a oportunidade de estar a trabalhar em Portugal para viajar pelo país e pela Europa. Nos meus tempos livres gosto de ver filmes, jogar *Playstation* e computador e vou ao ginásio duas vezes por semana. Como os portugueses gostam muito de futebol, às vezes, vou assistir a um jogo com um colega.

Sou o Karl e sou de Munique, na Alemanha. Sou economista e trabalho num banco em Frankfurt. Estudo português há seis meses, porque a minha namorada é portuguesa e os pais dela não falam alemão, nem inglês. Tenho aulas em Frankfurt duas vezes por semana e, em julho, fiz um curso intensivo de um mês, no Porto, mas ainda tenho muito para aprender. Os portugueses falam muito depressa e ainda é muito difícil compreendê-los. O meu passatempo preferido é viajar e a viagem mais interessante que fiz foi à Índia, não só pelos aspetos culturais, mas também porque foi nessa viagem que conheci a minha namorada. Gosto de cozinhar, ir ao cinema, ler e jogar ténis, mas detesto ver televisão e não me interesso nada por futebol.

II. A língua portuguesa no mundo.

4. (PÁGINA 13, FAIXA 3)

Diálogo 1

– Olá, tudo bem?
– Tudo. E contigo?
– Também. Então, como correu o teu exame de ontem?
– Mais ou menos. Foi mais difícil do que estava à espera. Mas, vamos ver. É capaz de dar para passar. Queres ir tomar um café?
– Embora.

Diálogo 2

– Oi, Mário. Como vai?
– Oi, cara. Tudo joia. Quer tomar um cafezinho?
– Vamos nessa. Onde você quer ir?
– Vamos naquele bar ali em frente.

4. **(PÁGINA 15, FAIXA 4)**

Somos muito saudosistas. Os portugueses têm saudades de tudo: um lugar, uma pessoa, uma canção, uma comida. Pode ser uma saudade ligeira, passageira, mas é saudade, que é uma palavra intraduzível.

Acho que os portugueses são pessoas calmas e um pouco cinzentas. Não são tão comunicativos e exuberantes como os espanhóis ou os italianos.

Eu acho que somos alegres. Até nos rimos das nossas próprias tristezas.

Os portugueses são muito simpáticos. Gostam muito de ajudar. Mas, no princípio, foi difícil para mim habituar-me a dar beijinhos às pessoas para as cumprimentar, porque no meu país isso não é normal.

Quando vim para Portugal e comecei a trabalhar, fiquei surpreendida com o valor que os portugueses dão à família.

Somos muito pessimistas e fatalistas.

Somos um povo desenrascado.

C. ORTOGRAFIA e PRONÚNCIA

1. **(PÁGINA 21, FAIXA 5)**

colher
formulário
maioria
sorriso
assegurar
testemunho
voluntário
disponibilidade
acolhedor
rumo

desumano
resolução
inquietudes
comunicativo
contudo
século
valorizar
circular
namorado
socializar

assumir
produto
solicitação
sobretudo
rutura
rótulo
novela
conteúdo
buraco
muçulmanos

sossego
chocado
sisudo
furar
solidário
entusiasmo
assustado
furacão
insulto
euforia

2. **(PÁGINA 21, FAIXA 6)**

fator / olhos / pobreza / foca / tolice / motivo / troco / sono / roteiro / aposta / escola / posto / fortaleza / tosse / local / olho / bolacha / telefone / bolo / troca / tosta / rolo / norma / formiga / zona / rota / domínio / noção / rosto / namoro / procura / acordo / gosto / toca

UNIDADE 2

A. TEXTOS, CONTEXTOS e PRETEXTOS

IV. FÉRIAS...

2. (PÁGINA 33, FAIXA 7)

Testemunho 1

Vítor, 36 anos, soma 25 países visitados, a maioria de *interRail*: "A primeira vez tinha 18 anos e parecia-me uma viagem de sonho. Juntei-me a mais 5 amigos e planeámos ao pormenor cada passo do trajeto. Apesar de sabermos que a qualquer momento o programa podia ser alterado, era inevitável planear, prever, imaginar e programar a viagem. É a vontade de conhecer países e culturas diferentes que me move."

Testemunho 2

Ana tinha 20 anos quando se inscreveu numa agência que trabalha com *Au pair* nos EUA e aos 21 partiu para lá: "Estava a acabar o curso e não me aliciava a ideia de começar logo a trabalhar e ficar presa a obrigações diárias. Sentia que se o fizesse talvez nunca mais tivesse a oportunidade de explorar o mundo."

Testemunho 3

Marco e Sara: "Por ser longínqua e ter países tão diferentes, alguns (como a Austrália e os EUA) tão grandes e com tanta coisa por explorar, decidimos que o melhor era esta viagem durar um ano. Tínhamos um bilhete *round-the-world*. Começámos no Japão, onde estivemos dois meses, depois uma semana em Seul, seguida da Austrália, Nova Zelândia e algumas ilhas do Pacífico. Depois os EUA, incluindo o Alasca, o Havai e o Canadá. Escolhemos este percurso porque abrangia a zona mais longínqua do mundo (em relação a Portugal) e a única que ainda não tínhamos explorado."

C. ORTOGRAFIA e PRONÚNCIA

1. (PÁGINA 40, FAIXA 8)

assar	rapazote	avareza	devastar	escola
casaco	escravo	esquema	ridicularizar	gasoso
cozinheiro	guloseima	desenho	rapidez	nariz
pobreza	atrás	entusiasmo	transparente	riqueza
vaso	festa	floresta	estrada	desporto
ananás	estranho	manifestação	limpeza	realização
beleza	cabaz	zebra	respiração	esquerda
lápis	esplêndido	luz	crepúsculo	áspero

2. (PÁGINA 40, FAIXA 9)

isqueiro / chinês / pescador / firmeza / framboesa / lilás / capataz / cinzeiro / crescimento / casca / férias / azeite / adesivo / intransigência / perdiz / realização / reserva / paz / postal / magreza / resultado / hospital / mesa / voz / televisão / espirro / ténis / arroz / espelho / ascensor / arrozal / poesia / beleza / substância / princesa / malvadez / esquentador / cais / rapidez

UNIDADE 3

A. TEXTOS, CONTEXTOS e PRETEXTOS

III. A importância de ser otimista.

9. (PÁGINA 50, FAIXA 10)

Cresci a ouvir o meu pai suspirar: "Não se pode sonhar" e a ver a minha mãe a provar-lhe, todos os dias, o contrário: que não apenas temos o direito aos nossos sonhos, como cada um tem em si os meios para os realizar. A minha sorte foi herdar da minha mãe a sua energia e fé a toda a prova. Desde sempre, vivi na convicção de que tudo é possível. Lembro-me de ter escrito no meu caderno, quando era adolescente: "Se é possível, já está feito; se é impossível, embora fazê-lo!" Esta fé inquebrantável tem-me permitido escalar montanhas e levar a bom porto todas as empreitadas. Nem sequer ponho em questão se vou ou não ser capaz. Claro que já tive alturas de desânimo, mas quando uma porta se fecha, digo a mim própria que aquela não era a porta certa, esqueço-me do fracasso e procuro a porta que se abre... Isto não tem nada de beato, até porque sou uma angustiada: tenho uma imaginação transbordante quando se trata de fazer o filme do pior. Mas o meu otimismo é a minha forma de progredir e de exorcizar as angústias. Quando tudo corre mal, paro um pouco e espero que a roda volte a girar. E uma bela manhã, levanto-me como se fosse um pecador a sair do inferno e com uma nova ideia que vai salvar-me. Como se o meu subconsciente tivesse trabalhado para me despertar para uma nova possibilidade. Esta força interior é uma sorte e nunca fui avara em usá-la. Tenho uma amiga que me telefona só para me ouvir dizer "isso vai correr bem". Podemos assumir a perda, mas jamais desistir da luta.

C. ORTOGRAFIA e PRONÚNCIA

1. (PÁGINA 55, FAIXA 11)

irregular
enriquecer
borracha
desrespeitar
tenro
arrependimento
irracional
Henrique
arrepio
arreliar
arriscado
desenrascado
honra
irresponsável
enraizado
corroer
agarrar
arrendar
irreal
genro

2. (PÁGINA 55, FAIXA 12)

amassar
cansaço
dança
descanso
sossegado
excursão
ansiar
excessivo
manso
inculto
imprensa
ressonar
detenção
caçar
progressão
traição
depressão
extensão
alcançar
terraço
ensonado
retenção
excesso
acessível
saciar
obsessiva
repressivo
recurso
defensor
tecido
escasso
despensa
ressentimento

UNIDADE 4

A. TEXTOS, CONTEXTOS e PRETEXTOS

I. Planeta em perigo.

3.2. (PÁGINA 63, FAIXA 13)

A Cruz Vermelha Portuguesa, para já, vai fazer chegar ao Haiti 25 mil euros do seu fundo de emergência e já lançou uma campanha para a recolha de mais donativos. "Ajude o Haiti agora" é o mote a puxar pelos portugueses, que podem contribuir através de um pagamento de serviços nas caixas Multibanco ou através de um depósito ou transferência bancária para uma das contas CVP/Fundo de Emergência. Elas existem em quase todos os bancos a operar em Portugal, basta pedir informações aos balcões.

Da Assistência Médica Internacional partem, ainda esta manhã, dois médicos, explica Fernando Nobre, Presidente da AMI, para analisarem o terreno e levarem desde já uma pequena ajuda:

"Às 10h20 partem dois elementos do Departamento Internacional da AMI, pessoas que conhecem o terreno. Com elas levam 20.000 dólares para lhes permitir fazer face às primeiras necessidades, inclusive de intervirem sobretudo na questão da sanitização da água e em medicamentos."

Retomadas as comunicações telefónicas com o Haiti, a AMI espera depois mais informações do local para estruturar uma missão no país.

Também à espera está o governo português. O Secretário dos Negócios Estrangeiros, João Gomes Cravinho, confirma – Portugal está a postos, mas aguarda instruções da ONU e da União Europeia:

"Haverá possivelmente necessidades de equipas especializadas da Proteção Civil, do nosso lado. Estamos a ver quais são as possibilidades, mas não vamos avançar com propostas até sabermos exatamente quais são as necessidades".

Cravinho prevê que esse levantamento poderá estar disponível ainda durante esta manhã para se decidir então como vai Portugal ajudar o Haiti.

C. ORTOGRAFIA e PRONÚNCIA

1. (PÁGINA 75, FAIXA 14)

chuvada	caixa	chouriço	xarope	xenofobia
excelência	chávena	experiência	chave	cachecol
paixão	fachada	explosão	embaixador	peixaria
fechadura	excedente	baixo	mancha	bolacha
cheque	cachaça	chocalho	coxo	cachimbo
extrato	caixote	exceção	charco	desleixo
gancho	cachalote	choque	recheio	chicote
xadrez	queixo	expressão	chão	luxo

UNIDADE 5

A. TEXTOS, CONTEXTOS e PRETEXTOS

III. O direito de reclamar.

4. **(PÁGINA 87, FAIXA 15)**

Os consumidores portugueses estão «moderadamente satisfeitos» com os serviços públicos essenciais, mas são dos mais passivos e resignados da União Europeia, segundo o estudo apresentado pelo Instituto do Consumidor.

O estudo revela que os portugueses estão «moderadamente satisfeitos» com os serviços públicos essenciais, como o fornecimento de eletricidade, água, gás e telefone fixo. No entanto, o grau de satisfação é sempre «positivo».

Uma outra conclusão a retirar do estudo apresentado é o facto de as expectativas do consumidor serem maioritariamente «iguais ao que se esperava», o que poderá revelar um padrão de exigências baixo no consumidor português.

A maioria dos consumidores contactados revelou que nunca teve razões para apresentar queixas, ou que não apresentou, mas tinha razões para o fazer.

Nos que apresentaram queixas, a maior parte foram queixas orais, o que revela alguma resignação da parte dos consumidores, o que contrasta com os números obtidos em estudos equivalentes por toda a União Europeia.

Os números revelam também que quanto mais novo, mais instruído e mais educado, mais o consumidor tem iniciativa para apresentar queixa, quando não satisfeito com os serviços prestados.

O Secretário de Estado do Consumo mostrou-se relativamente agradado com os resultados, mas disse que há que incentivar o aumento de exigência por parte dos consumidores, já que considera que o grau de exigência é um fator de progresso e de modernização para a sociedade.

C. ORTOGRAFIA e PRONÚNCIA

1. **(PÁGINA 93, FAIXA 16)**

examinar	deslize	hesitar	prazo
realização	síntese	êxito	idealizar
pesquisa	preciso	requisito	exemplar
dezasseis	invejoso	executar	pobreza
desonra	juízo	exausto	utilizar
razoável	exigente	azia	exílio

2. **(PÁGINA 93, FAIXA 17)**

contem	contém	contêm	ananás
caracóis	caracol	estrela	infâmia
mantém	inglês	francesa	galeria
pode	poder	para	paragem
armazém	constrói	construíram	têxtil
herói	miúdo	voo	subsídio
familiar	carácter	líquido	trânsito
décimo	excedi	publicitário	ortografia
obstáculo	caracter	dificilmente	ofício

UNIDADE 6

A. TEXTOS, CONTEXTOS e PRETEXTOS

I. Realidades.

6. (PÁGINA 102, FAIXA 18)

Imagine um espaço onde pode trocar aquilo que tem a mais em casa por aquilo que lhe faz falta. É esse o princípio da mercearia solidária, em Granja do Ulmeiro, perto de Coimbra. O espaço tem apenas um mês, mas já conta com muitos participantes. Sim, é uma loja, mas aqui o dinheiro não tem qualquer valor. Estimula-se antes a troca de bens e serviços. A ideia foi, desde logo, abraçada pelos habitantes desta freguesia do concelho de Soure. Cecília Góis é um desses exemplos. Hoje, por exemplo, trouxe ovos e veio à procura de massas e detergentes:

– Nós temos coisas a mais em casa, até se estragavam, e assim não se estragam. Traz-se para aqui. Por exemplo, eu tinha ovos demais. Eu deixei lá meia dúzia em casa e trouxe alguns para aqui, que é para também não se estragarem, que eu tenho lá demais.

– O que é que a senhora normalmente costuma levar daqui para casa?

– Mercearia, arroz, massa... até porque nós compramos essas coisas e se houver aqui já escusamos de comprar... roupa, tenho muita, graças a Deus tenho muita... é mais assim coisas para o dia.

A ideia foi implementada pela Ação para a Justiça e Paz, uma associação que fomenta uma distribuição justa dos bens pelas pessoas:

– Temos cerca de 142 visitas à mercearia, com trocas, o que significa dizer que as pessoas deixaram algum produto ou bem e levaram outros produtos, bens ou serviços, portanto... o que para nós é um indicador bastante positivo e é um indicador de que é uma estratégia que vai ter algum sucesso, a médio/curto prazo.

Os resultados referem-se ao primeiro mês, mas a associação acredita que, no futuro, a adesão será cada vez maior. Se estiver interessado em participar, saiba que mesmo que não tenha bens para trocar, pode sempre contribuir com tempo ou saber:

– Porque nós vamos incentivando a que as pessoas deem tempo, ou seja, sejam voluntárias, quer para a organização, fazendo algum serviço que, no momento, estejamos a precisar de ajuda, quer para as outras pessoas, podendo dar horas de companhia, horas de conversa, serviço de *manicure*, de medição da tensão arterial, portanto alguns serviços que a comunidade nos vai dizendo que necessita e que essas pessoas que, à partida, não trouxeram nada numa primeira vez, podem dar à comunidade, o seu tempo e a sua disponibilidade.

O importante é não virar as costas ao projeto. No mesmo espaço existe também a loja da pessoa cidadã e o centro de convívio para o bem comum.

E assim fica provado que num espaço como este a riqueza maior é a solidariedade.

http://www.sic.aeiou.pt/online/video/programas/companhia-das-manhas/2010/3/mercearia-solidaria25-03-2010-11155.htm

C. ORTOGRAFIA e PRONÚNCIA

1. (PÁGINA 111, FAIXA 19)

requeijão	garagem	laranja	jangada	geleia
desejo	juntar	sujar	viagem	relojoeiro
prejuízo	tangerina	meteorologia	bagagem	enjoar
ginástica	ginja	sugestão	região	página
agenda	ajudar	viajar	alojamento	gigante
rejuvenescer	queijo	fingimento	jardim	jarra
jasmim	agitação	joelho	urgência	jornalista
gentileza	reportagem	rejeição	vegetação	relógio

UNIDADE 7

A. TEXTOS, CONTEXTOS e PRETEXTOS

II. Informar, comunicar, participar...

2.2. (PÁGINA 121, FAIXA 20)

"Casamento perfeito"

A *internet* é um aliado natural da rádio. Digamos que há um casamento perfeito entre rádio e *net*. De resto, hoje não se pode pensar em rádio sem se pensar em multiplataforma, *net*, aplicações para os *hiphones*, os *tablets* e por aí fora. Mas dizia eu que é um casamento perfeito, porque as coisas só se cruzam quando se complementam. E, de facto, a *net* e a rádio complementam-se. A rádio é muito plástica, tem uma capacidade tremenda de se misturar com outros meios, usa como sua essência o som e, portanto, o som é o centro de tudo, e acrescenta, no casamento com a *net*, acrescenta imagem, acrescenta texto. E portanto, digamos que essa relação é uma relação para a vida.

http://rr.sapo.pt/informacao_detalhe.aspx?fid=30&did=7000

"Futuro garantido"

O futuro da rádio está assegurado por ele próprio, não é? Por aquilo que é a sua grande capacidade de portabilidade, não é? Quando nós falamos, hoje, em comunidades portáteis, não é, não estamos a dizer mais do que aquilo que a rádio foi fazendo ao longo dos anos. Digamos que desde que o transístor foi introduzido, que a rádio ganhou uma mobilidade que nem a televisão nunca conseguiu, apesar de hoje ser muito mais móvel, não conseguiu atingir.

http://rr.sapo.pt/informacao_detalhe.aspx?fid=30&did=7000

C. ORTOGRAFIA e PRONÚNCIA

1. (PÁGINA 133, FAIXA 21)

feminino
visita
cardeal
emissão
conteúdo
definição
emergência
realização
privilégio
essencial
nomeação
isqueiro
eletrónica
esquisitice
encadeamento
espontâneo
definição
preocupação
utilidade
realidade
identificação
evolução
gasóleo
requisição
habilitação
idealizar
estabilidade
geografia
bisbilhoteiro
exame
inimigo
artificial

UNIDADE 8

A. TEXTOS, CONTEXTOS e PRETEXTOS

III. "Seniornautas"

3. (PÁGINA 148, FAIXA 22)

Entrevista

Quando entrou no *Twitter*?

Não tenho a certeza, mas penso que terá sido no final de janeiro.

O que de melhor lhe aconteceu?

O *Twitter* é-me muito útil. Agora, em vez de ver 20 *sites* diferentes à procura de informação, recebo-a mais depressa, vendo os tópicos dos usuários que sigo. Também me facilita o contacto com outras pessoas. Se, por vezes, não as consigo contactar pelo telefone ou *e-mail*, o *Twitter* é uma boa forma de as encontrar.

A pior experiência?

Não tenho más experiências.

Por que *twitta*?

Sobretudo para encontrar informação e artigos interessantes, e também para partilhar informação com outras pessoas. Por exemplo, ontem estive preocupado com o incêndio no Gerês, e o que sabia ia partilhando, tendo recebido, também, algumas informações de outras pessoas. Para ver artigos interessantes e partilhá-los, para alcançar mais proximidade. Não há outro motivo que me faça utilizá-lo além da pesquisa e da partilha de informação.

Visão, 26 de março de 2009

Testemunho

Inscrevi-me no Curso de Informática da Universidade Sénior para aprender a lidar com o computador e, assim, poder falar com a minha filha e a minha neta, que residem no Japão. Comecei do zero, porque, apesar de ter dois computadores em casa, nunca tive grande interesse em aprender antes de a minha filha ir morar para o estrangeiro. A comunicação com ela é feita exclusivamente pela *internet*, através do *Skype*. O contacto é geralmente feito pelo meu marido que está mais familiarizado com as novas tecnologias, porque fez uma formação intensiva de um ano. Mas eu estou sempre por perto e vou tentando perceber como funciona, uma vez que ainda não me sinto perfeitamente à vontade com este programa.

Notícias Magazine, 26 de junho de 2009

C. ORTOGRAFIA e PRONÚNCIA

1. (PÁGINA 153, FAIXA 23)

1. anuncio
2. consultasse
3. dá-mos
4. seu
5. veem
6. distancia
7. procurarão
8. compra-mos
9. pode
10. copia
11. séria
12. assar

UNIDADE 9

A. TEXTOS, CONTEXTOS e PRETEXTOS

I. Estudar, conhecer, saber, crescer...

4. (PÁGINA 161, FAIXA 24)

Uma aventura na Dinamarca

Decidi criar este blogue com o intuito de expor tudo o que já começo a sentir sobre o meu primeiro grande "projeto" de vida, se é que lhe posso chamar assim – Erasmus na Dinamarca. Foi, sem dúvida, uma decisão difícil, pois vou deixar família, amigos e costumes e, o pior de tudo, não sei como vou para lá de avião pois tenho medo.

A cidade para onde vou é Lyngby (a cerca de 15km de Copenhaga). Dizem ser uma linda cidade com uma bela floresta (penso que é floresta), um ambiente totalmente diferente do que estou habituada, daí esta experiência tornar-se, à partida, mais interessante.

Vou frequentar um curso de Multimédia (na *Business Academy of Copenhagen North*), idêntico ao que frequento atualmente, juntamente com estudantes dos mais variados países e não apenas Europeus, visto ser a variante do curso em língua inglesa destinada, principalmente, a alunos estrangeiros (existe, também, a principal variante lecionada em língua dinamarquesa).

Estou bastante entusiasmada com esta Academia. No início, não me cativou muito, por não ser propriamente uma Universidade, mas depois de conhecer o seu funcionamento e metodologia só podia ficar entusiasmada. Basicamente esta "Business Academy", como o próprio nome indica, não consiste muito em sobrecarregar os alunos com teoria desnecessária; parece-me que apenas lecionam a teoria necessária ao apoio da prática, ou seja, preocupam-se demasiado em preparar os alunos para o mercado de trabalho, inclusive preocupam-se que os seus alunos acabem o curso e não fiquem em casa a ver TV, mas sim, consigam emprego.

C. ORTOGRAFIA e PRONÚNCIA

1. (PÁGINA 173, FAIXA 25)

música
curtir
requerer
controverso
discussão
esquina
raquitismo
película
físico
pancada
quintal
recomendar
queimadura
recurso
paquete
cuco
saco
química
raquete
tanque
pequenez
orquestra
robótica
isqueiro
requeijão
equivalente
calçada
buraco
truque
conquistador
curva
requinte
tentáculo
tosquiar
consecutivo
relíquia
significativo
caracol
sequestrar
cauteloso

UNIDADE 10

A. TEXTOS, CONTEXTOS e PRETEXTOS

IV. Oferece-se emprego.

3. (PÁGINA 185, FAIXA 26)

Margarida, que expectativas é que os pais podem ter em relação à vocação profissional dos filhos?
Bom, eu diria assim: primeiro que devem ser expectativas realistas, ou seja, ontem o Vítor falava da questão das capacidades de perceber as capacidades dos filhos e eu acho isso fundamental. Ou seja, a perceção das competências que os filhos têm, porque se não houver um caminho na descodificação das competências que têm, os pais podem fazer idealizações do que gostavam que os filhos fossem. Às vezes, até em função de frustrações que eles mesmos tiveram no seu percurso, e depois vão criar nos filhos, e os filhos também, um conjunto de expectativas que vão ser frustradas, porque, porventura, as competências que têm são desajustadas. Portanto, há aqui um caminho, depois da identificação das competências, tentar deixar liberdade, mas uma liberdade informada, ou seja, os pais percebem o que os filhos podem ser e não forçam a que os filhos sejam aquilo que eles gostariam que fossem. Eu tenho um exemplo de uma história em que o pai gostaria que o filho fosse engenheiro agrónomo porque tinha herdades etc., etc., e o filho foi engenheiro agrónomo, trabalhou um ano em agronomia, e depois terminou e disse ao pai, "Pai, eu quero ser pintor!", e portanto foi desenvolver um curso de pintura e hoje é uma pessoa que tem algum sucesso naquilo que faz. De qualquer maneira, há que ter cuidado com isto, não que ele não tivesse competências, mas aqui o binómio competências *versus* interesses não podia funcionar.

Vítor?
Esta questão da projeção dos pais é importante porque pode influenciar, quer positivamente quer negativamente, o processo, porque se olharmos para outra construção que podemos fazer, que é muitas vezes em termos de motivação, nós podemos fazer as coisas por várias razões e, às vezes, os nossos filhos podem estar condicionados pelas projeções que nós fazemos, porque no fundo eu posso fazer uma coisa porque tenho que fazer, ou acho que tenho que fazer, e um filho pode achar "Bom, eu tenho de fazer isso porque é o esperado de mim. Faço porque tenho de fazer.", isso é uma obrigação e é complicado, ou posso fazer porque devo fazer e então é uma racionalização, "Ah, porque o meu pai é....", ou como dizia a Margarida, penso que falava de um engenheiro agrónomo, e portanto o miúdo pode entrar numa racionalização "eu faço porque devo fazer", ou então "eu faço porque quero fazer" e aqui está a inspiração. A verdade é que quanto mais, para que todos nós e para quem está à procura da sua vocação se aproxima do fazer porque quer fazer, porque aquilo tem um sentido e fá-lo por inspiração e por vocação, maior a probabilidade de se sentir realizado naquilo que faz. E esta questão da racionalização com aquilo que se faz é fundamental, porque até Freud dizia " se um homem normal quiser ter uma vida boa, tem que saber amar e trabalhar".

http://www.tsf.pt/Programas/programa.aspx?content_id=1389430audio_id=1872352

C. ORTOGRAFIA e PRONÚNCIA

1. (PÁGINA 190, FAIXA 27)

queixo	chaminé	engraxar	flecha	lixo
encaixar	chuto	ameixa	enxame	fechadura
rouxinol	xarope	bruxa	puxador	chávena
xaile	repuxo	chumbo	xadrez	mochila

2. (PÁGINA 190, FAIXA 28)

exequível / excerto / eixo / máximo / enxugar / sexo / exaustivo / sexto / exímio / léxico / extremo / fixo / aproximar / exibição / auxiliar

SOLUÇÕES

UNIDADE 1

B. GRAMÁTICA e VOCABULÁRIO

1. (PÁGINA 17)

1. me sentisse 2. corra 3. virem 4. Venham; vierem 5. sejam 6. puseres 7. dissessem 8. tiver; queira 9. pudessem; se sentissem 10. vás; tenhas

2. (PÁGINA 17)

1. trouxesse; sai 2. tenham 3. estivemos 4. consigam; obterem; necessitam 5. mantenha-se; possamos; ficarmos 6. for 7. façam 8. foram preenchidos; serão divulgadas 9. passei; vi; estava; viu 10. responderam; foram escolhidas; sejam/fossem 11. querem; se trata 12. termos; saímos 13. tínhamos ido 14. tem chovido

3. (PÁGINA 18)

1. passar por; passar para; passar a; passar de; passar em; passar com 2. investir em 3. dedicar-se a 4. impedir de 5. aproveitar para 6. sonhar com 7. deixar com; deixar por; deixar em; deixar para; deixar de 8. ter saudades de 9. esforçar-se por 10. arrepender-se de

4. (PÁGINA 19)

adquirido; através; à; a; restrito; veiculada; objeto; nomeadamente; sobre; mesmo; centrada; básicas; sido; A par; constantes

5. (PÁGINA 19)

a inovação	saudoso/saudosista
o contentamento	variado/variável
o domínio	otimista
a defesa	obrigatório
o crescimento	contraditório

6. (PÁGINA 20)

1. gozar férias 2. dar-se ao trabalho 3. mudar de vida 4. pôr um anúncio 5. ultrapassar uma dificuldade 6. apoiar-se nos amigos 7. correr um risco

C. ORTOGRAFIA e PRONÚNCIA

1. (PÁGINA 21)

colher	desumano	assumir	sossego
formulário	resolução	produto	chocado
maioria	inquietudes	solicitação	sisudo
sorriso	comunicativo	sobretudo	furar
assegurar	contudo	rutura	solidário
testemunho	século	rótulo	entusiasmo
voluntário	valorizar	novela	assustado
disponibilidade	circular	conteúdo	furacão
acolhedor	namorado	buraco	insulto
rumo	socializar	muçulmanos	euforia

2. (PÁGINA 21)

O		
fator	pobreza	olhos
troco		foca
sono	tolice	aposta
posto	motivo	escola
olho	roteiro	tosse
bolo	fortaleza	telefone
rolo	local	troca
zona	bolacha	tosta
rota	formiga	norma
rosto	domínio	procura
namoro	noção	gosto
acordo		toca

UNIDADE 2

B. GRAMÁTICA e VOCABULÁRIO

1. (PÁGINA 36)

1. em três tempos – rapidamente 2. tempo recorde – período de curta duração 3. tempo inteiro – período de trabalho em horário completo 4. tempo letivo – duração de uma aula 5. tempo parcial – período de tempo em horário reduzido 6. tempo dos afonsinhos – tempos antiquados, desatualizados 7. tempo das vacas gordas – período próspero 8. tempo das vacas magras – período de dificuldades, de crise económica 9. tempos dourados – período de prosperidade, de fartura 10. perda de tempo; tempo perdido/mal gasto – momentos gastos inutilmente, desperdiçados 11. tempo morto – momentos em que não há nada para fazer 12. tempos revoltos – época agitada, em que há confrontos 13. tempo de capacete – o que é quente e húmido, abafado, com o céu toldado de nuvens 14. a tempo e horas – no momento oportuno 15. dar tempo ao tempo – esperar, não ter pressa 16. fazer tempo – demorar-se, esperar 17. ganhar tempo – aguardar o momento favorável para reverter uma situação a seu favor 18. há que tempos – desde há um período relativamente grande 19. matar o tempo – ocupar-se de coisas sem importância

2. (PÁGINA 36)

o tédio	exigir	exigente
a comodidade	encorajar	entediado
o dinamismo	acomodar	corajoso
a produção	ambicionar	dinâmico
o cansaço	produzir	ambicioso
o equilíbrio	habituar	cansativo
o gozo	divertir	habitual/habituado
o receio	gozar	divertido
a satisfação	conciliar	equilibrado
	promover	conciliável/conciliado
		receável
		promovido
		satisfeito

3. (PÁGINA 37)

variado	descontraído
modesto	realizado
otimista	harmonioso
dinâmico	empreendedor
saudável	audacioso

4.1. (PÁGINA 38)

1. tivessem chegado 2. tivesse sabido 3. tivesse dito 4. tivessem saído 5. tivesses feito 6. tivéssemos ouvido 7. tivesse saído 8. tivesse escolhido 9. tivesse decidido 10. tivesse prevenido

6. (PÁGINA 39)

1. puder 2. teriam aceitado/aceite 3. fosse; pudesse 4. tivessem planeado 5. vires 6. possamos; queiramos 7. tiver 8. ficariam 9. marquem 10. tivesse

C. ORTOGRAFIA e PRONÚNCIA

1. (PÁGINA 40)

assar	rapazote	avareza	devastar	escola
casaco	escravo	esquema	ridicularizar	gasoso
cozinheiro	guloseima	desenho	rapidez	nariz
pobreza	atrás	entusiasmo	transparente	riqueza
vaso	festa	floresta	estrada	desporto
ananás	estranho	manifestação	limpeza	realização
beleza	cabaz	zebra	respiração	esquerda
lápis	esplêndido	luz	crepúsculo	áspero

2. (PÁGINA 40)

S		Z	
casa	nascimento	azeitona	rapaz
framboesa adesivo intransigência reserva resultado mesa televisão poesia princesa	isqueiro chinês pescador lilás crescimento casca férias postal hospital espirro ténis espelho ascensor substância esquentador cais	firmeza cinzeiro azeite realização magreza arrozal beleza	capataz perdiz paz voz arroz malvadez rapidez

UNIDADE 3

B. GRAMÁTICA e VOCABULÁRIO

1.1. (PÁGINA 51)

1. tenham chegado 2. tenha saído 3. tenha dito 4. tenha passado 5. tenham visto 6. tenham gostado 7. tenhamos decidido 8. tenham proposto 9. tenha feito 10. tenham terminado

1.2. (PÁGINA 51)

1. tenha comido 2. diga 3. tenha 4. tenhas visto 5. saia/tenha saído 6. precise 7. apeteça 8. tenha convidado 9. tenham vindo 10. possam 11. tenham provado 12. tenha tido

2. (PÁGINA 52)

1. ser egoísta 2. estar molhado 3. estar contente 4. ser mentira 5. ser tenro/estar tenro 6. ser picante/estar picante 7. ser quente/estar quente 8. ser verde/estar verde 9. ser fresco/estar fresco 10. ser gordo/estar gordo 11. ser pessimista 12. ser pontual 13. estar bem 14. estar acordado

3. (PÁGINA 53)

admirável; de; risco; vale; oferece; alterar; natural; impedindo; metodologias; eventuais; tornando-se; obter; a; aparecimento; tomar; precoce

5. (PÁGINA 54)

a(os); em; de; à; para; n(a); de; a; Para; de; a; em; à; d(a); para; d(os); às; por; por; para

6. (PÁGINA 54)

ingerir	o ressentimento
optar	a exclusão
adotar	o sorriso
restringir	a abundância
aceder	a intervenção
ansiar	o abastecimento
	o recurso

C. ORTOGRAFIA e PRONÚNCIA

1. (PÁGINA 55)

irregular
enriquecer
borracha
desrespeitar
tenro
arrependimento
irracional
Henrique
arrepio
arreliar
arriscado
desenrascado
honra
irresponsável
enraizado
corroer
agarrar
arrendar
irreal
genro

2. (PÁGINA 55)

amassar
cansaço
dança
descanso
sossegado
excursão
ansiar
excessivo
manso
insulto
imprensa
ressonar
detenção
caçar
progressão
traição
depressão
extensão
alcançar
terraço
ensonado
retenção
excesso
acessível
saciar
obsessiva
repressivo
recurso
defensor
tecido
escasso
despensa
ressentimento

UNIDADE 4

B. GRAMÁTICA e VOCABULÁRIO

1.1. (PÁGINA 70)

1. não viver do ar – precisar de trabalhar para ganhar o sustento 2. andar com/ter a cabeça no ar – ser uma pessoa distraída 3. virar de pernas para o ar – desarrumar completamente, geralmente para procurar alguma coisa 4. pôr as antenas no ar – interessar-se e tentar ouvir/perceber aquilo que está a ser dito 5. ter/estar com ar de poucos amigos – cara ou expressão de mau humor, sisudo 6. fazer castelos no ar – projetos pouco sólidos, sonhos, fantasias 7. dar-se ares de – mostrar aparência de alguma coisa 8. apanhar no ar – perceber rapidamente a partir de sinais pouco claros 9. ser um ar que dá – desaparecer 10. ir pelos ares – explodir 11. mudar de ares – mudar de ambiente, de local, de região 12. ir ao ar – fracassar, perder-se, frustrar-se qualquer coisa 13. estar um ar pesado – ambiente de tensão, com conflitos latentes

2. (PÁGINA 71)

1. ambiental; poluentes 2. ambientalista; meteorológicos 3. industriais; energéticas 4. tropicais; global 5. humana 6. insuficientes 7. solar; química; atmosférica 8. alternativas; térmicos 9. poluidores; emissores

3. (PÁGINA 71)

para; pelo; por; de; de; para; pelas; da; a; do; entre; para; em; em; Em; em

4. (PÁGINA 72)

1. da 2. com 3. por; por 4. em 5. com; ao; pelo; nos 6. a; de; da 7. dos; à

5.1. (PÁGINA 73)

1. termos conhecido 2. teres aderido 3. termos tido 4. termos ajudado 5. terem visto 6. termos assistido 7. ter fundado; ter escrito 8. ter conseguido 9. teres pensado 10. teres começado

5.2. (PÁGINA 74)

1. reduzirmos; termos dado 2. se lamentarem 3. terem ignorado 4. ter terminado 5. pouparem 6. esquecermos 7. pressionarem 8. conseguir 9. terem sofrido 10. aumentar

C. ORTOGRAFIA e PRONÚNCIA

1. (PÁGINA 75)

chuvada	caixa	chouriço	xarope	xenofobia
excelência	chávena	experiência	chave	cachecol
paixão	fachada	explosão	embaixador	peixaria
fechadura	excedente	baixo	mancha	bolacha
cheque	cachaça	chocalho	coxo	cachimbo
extrato	caixote	exceção	charco	desleixo
gancho	cachalote	choque	recheio	chicote
xadrez	queixo	expressão	chão	luxo

UNIDADE 5

B. GRAMÁTICA e VOCABULÁRIO

1. (PÁGINA 88)

1. ponhas **2.** foram abertos; terem chegado/são abertos; chegarem **3.** têm-se mostrado **4.** aceitem **5.** traga **6.** faça/tenha feito **7.** tivesse sido devolvido **8.** comprássemos **9.** serem atendidas **10.** tinha dito; trouxesses

2. (PÁGINA 88)

1. Duvido que esse problema tenha sido resolvido. **2.** Um bom serviço público deve ser exigido pelos consumidores. **3.** O dinheiro só me foi devolvido, depois de o Livro de Reclamações ter sido pedido. **4.** Para que os nossos projetos possam ser concretizados tem que ser pedido um empréstimo. **5.** A globalização é considerada por muitas pessoas como uma ameaça. **6.** Esse projeto será apresentado à comunidade empresarial na próxima semana. **7.** Se outras condições nos tivessem sido oferecidas, o negócio teria sido aceite.

3. (PÁGINA 89)

1. as palavras-chave **2.** os porta-vozes **3.** os Estados-nação **4.** os sem-vergonha **5.** os amores-perfeitos **6.** os ex-diretores **7.** verdes-escuros **8.** as segundas-feiras **9.** os recém-nascidos **10.** os vice-reitores

4. (PÁGINA 89)

1. o retrocesso **2.** afastar **3.** a derrota **4.** bem visto **5.** estável **6.** verde **7.** inoportuno **8.** apertar **9.** largo

5. (PÁGINA 90)

1. ameaçador **2.** oportuno/oportunista **3.** enérgico **4.** consumista **5.** instável **6.** inovador **7.** valioso **8.** visível **9.** minoritário **10.** previsível **11.** assustador/assustadiço **12.** enganador **13.** defeituoso

6. (PÁGINA 90)

a; comum; ganhar; por; sempre; descrever; passa-se; ficam; exposto; com; descobre-se; adequado; fazer; para; por; apenas; embora; dar; de; em

7. (PÁGINA 91)

1. canto (da sala) / canto (verbo cantar) **2.** rio (substantivo) / rio (verbo rir) **3.** saia (substantivo) / saia (verbo sair) **4.** vaga (a onda) / vaga (adjetivo) **5.** cabo (ex: de uma vassoura, de uma colher) / cabo (ex: Cabo da Boa Esperança) **6.** como (advérbio) / como (verbo comer) **7.** são (saudável) / são (verbo ser) **8.** vão (substantivo) / vão (verbo ir) **9.** corte (substantivo) / corte (verbo cortar) **10.** andar (substantivo) / andar (verbo andar) **11.** direito (esquerdo) / direito (substantivo)

8. (PÁGINA 92)

1. tomar uma atitude **2.** fazer de conta **3.** abrir uma exceção **4.** correr o risco **5.** pôr em causa **6.** sofrer as consequências **7.** chegar à conclusão **8.** ter jeito **9.** prestar atenção **10.** tirar a carta **11.** levantar voo **12.** mudar de ideias **13.** dar nas vistas **14.** passar o exame **15.** ficar doente **16.** entrar em desuso

C. ORTOGRAFIA e PRONÚNCIA

1. (PÁGINA 93)

examinar	deslize	hesitar	prazo
realização	síntese	êxito	idealizar
pesquisa	preciso	requisito	exemplar
dezasseis	invejoso	executar	pobreza
desonra	juízo	exausto	utilizar
razoável	exigente	azia	exílio

2. (PÁGINA 93)

contem	contém	contêm	ananás
caracóis	caracol	estrela	infâmia
mantém	inglês	francesa	galeria
pode	poder	para	paragem
armazém	constrói	construíram	têxtil
herói	miúdo	voo	subsídio
familiar	carácter	líquido	trânsito
décimo	excedi	publicitário	ortografia
obstáculo	caracter	dificilmente	ofício

UNIDADE 6

B. GRAMÁTICA e VOCABULÁRIO

1. (PÁGINA 107)

1. antidepressivo	9. inábil	17. infiel	25. impermeável
2. impuro	10. irreal	18. desunido	26. inútil
3. desagradável	11. imprudente	19. desabituado	27. inabitável
4. irresponsável	12. inativo	20. antiderrapante	28. improdutivo
5. insatisfeito	13. antiaéreo	21. injusto	29. antifeminista
6. incapaz	14. ilegítimo	22. desenrugado	30. impróprio
7. anticonstitucional	15. desenquadrado	23. anticiclónico	31. incerto
8. incómodo	16. desumano	24. irreverente	32. ilegal

2. (PÁGINA 108)

enquanto; porque; para que; se; como; quando

3.1. (PÁGINA 108)

1. pelas quais 2. no qual 3. com o qual 4. com os quais; ao qual 5. pela qual 6. pelas quais 7. na qual 8. no qual

3.2. (PÁGINA 109)

1. O candidato nunca teria ganho com tanta vantagem sem o apoio de todos os munícipes, o qual foi fundamental.
2. A Quercus tem-se debatido por uma causa de extrema importância, a qual lhe trouxe reconhecimento mundial.
3. Vários jovens, os quais são muito responsáveis e empreendedores, fizeram a limpeza da floresta com os bombeiros.
4. O Movimento dos Sem-Terra, no Brasil, reclama a devolução das terras das quais o governo se apropriou ilicitamente.
5. O voluntariado é uma atitude cívica com a qual se auxilia muita gente necessitada.
6. Ainda há quem encare o trabalho voluntário como um dever das pessoas para resolver todos os problemas sociais, os quais o Estado não tem capacidade para resolver.
7. Na *Mercearia Solidária*, na qual não há dinheiro oficial, acede-se a bens e serviços através da troca dos mesmos.

4. (PÁGINA 110)

1. começasse a 2. deixam de 3. passem a 4. continuar a; deixará de 5. acabaram de; começar a 6. acabam por

5. (PÁGINA 110)

1. ficam de; passar por 2. dar pelas; passaram por 3. fica sempre muito por 4. passam de; ficam em; ficam para 5. deram em 6. dava para 7. passar de; a; dá-lhes para

C. ORTOGRAFIA e PRONÚNCIA

1. (PÁGINA 111)

requeijão	garagem	laranja	jangada	geleia
desejo	juntar	sujar	viagem	relojoeiro
prejuízo	tangerina	meteorologia	bagagem	enjoar
ginástica	ginja	sugestão	região	página
agenda	ajudar	viajar	alojamento	gigante
rejuvenescer	queijo	fingimento	jardim	jarra
jasmim	agitação	joelho	urgência	jornalista
gentileza	reportagem	rejeição	vegetação	relógio

UNIDADE 7

B. GRAMÁTICA e VOCABULÁRIO

1.1. (PÁGINA 128)

1. cortar as pernas a alguém – impedir alguém de progredir, de melhorar a sua situação **2.** fazer alguma coisa com uma perna às costas – com grande facilidade, sem custo ou trabalho **3.** ter alguém à perna – ter alguém a persegui-lo, a ameaçá-lo ou a incomodá-lo **4.** meter o rabo entre as pernas – ter medo, acobardar-se **5.** não poder com as pernas – estar muito cansado **6.** esticar a perna/o pernil – morrer **7.** passar a perna a alguém – enganar; levar vantagem sobre alguém **8.** desenferrujar as pernas – desentorpecer as pernas; andar

2. (PÁGINA 128)

1. por **2.** pela; pelo; pelas; pelos; por **3.** para **4.** para **5.** para **6.** pelos **7.** para; para **8.** para **9.** pelo **10.** por **11.** por **12.** Pela; pelo **13.** para **14.** Para; para **15.** para **16.** por; para **17.** Por **18.** para **19.** por **20.** pela

3. (PÁGINA 129)

fazem; revela; contabilizou; representa; escreveram; enviaram; consultaram; vêem; seja; quiserem; tornaram; ficaram

4.1. (PÁGINA 131)

acontecerá; quererá; terá; conseguirá; fartar-se-ão; haverá; haverá; precisará; serão

5.1. (PÁGINA 132)

1. terão assinado **2.** terá copiado **3.** terei terminado **4.** terão surgido **5.** terá enviado **6.** terá acedido **7.** terá deixado **8.** terá sido

C. ORTOGRAFIA e PRONÚNCIA

1. (PÁGINA 133)

feminino	privilégio	definição	habilitação
visita	essencial	preocupação	idealizar
cardeal	nomeação	utilidade	estabilidade
emissão	isqueiro	realidade	geografia
conteúdo	eletrónica	identificação	bisbilhoteiro
definição	esquisitice	evolução	exame
emergência	encadeamento	gasóleo	inimigo
realização	espontâneo	requisição	artificial

UNIDADE 8

B. GRAMÁTICA e VOCABULÁRIO

2. (PÁGINA 149)

1. chegares/tiveres chegado **2.** terá saído **3.** estaremos **4.** tiver recebido **5.** terá gostado **6.** se terá registado **7.** fizermos **8.** tiver terminado **9.** trouxeres **10.** saberemos

3. (PÁGINA 150)

1. terão 2. tiverem instalado 3. lhe telefonasse, se tivesse 4. tenha sido tomada 5. me tenha inscrito 6. soube 7. sairmos 8. tivesses inscrito; percebias 9. estejamos

4. (PÁGINA 150)

1. enganar 2. arriscar 3. transmitir 4. recear 5. estimar 6. gerir 7. destacar 8. manter 9. silenciar 10. promover 11. tocar 12. exceder

5. (PÁGINA 151)

até; pico; desaceleração; ver; adotou; em; a; patamares; transição; com; das; esperança; num; às; nicho; ter; anseios; potenciam

6. (PÁGINA 151)

1. ter a ver com 2. marcar presença 3. manter uma conversa 4. acompanhar um assunto 5. passar de moda 6. ficar em pânico 7. dar jeito 8. colocar uma pergunta

7. (PÁGINA 152)

1. Decerto 2. debaixo 3. abaixo 4. porquê 5. onde 6. durante 7. acerca 8. todavia

8. (PÁGINA 152)

1. Por... 2. de; à 3. a; de 4. A; d(o) 5. por; por 6. sem; n(o); em; n(aquela) 7. com; para 8. a(o); com; sem 9. para 10. com; para 11. a; sem 12. para/a(o); para; sobre/d(a); em 13. em; com; para 14. às; sem; em

C. ORTOGRAFIA e PRONÚNCIA

1. (PÁGINA 153)

1. anuncio 2. consultasse 3. dá-mos 4. seu 5. veem 6. distancia 7. procurarão 8. compra-mos 9. pode 10. copia 11. séria 12. assar

2. (PÁGINA 153)

1. Ninguém pode conduzir e falar ao telefone em simultâneo. Este é um comportamento inaceitável. 2. Peguei no álbum de família e ficámos a recordar os tempos que passámos juntos. 3. Eles construíram um edifício novo mesmo em frente da saída do metro. 4. Há que ter cuidado, pois tudo o que pomos *on-line* é pesquisável e recuperável. 5. Antigamente consumíamos informação de forma passiva. Se quiséssemos comentar um artigo, tínhamos de pôr uma carta no correio. 6. O PC sénior é mais leve, tem as teclas maiores, o rato é anatómico e tem conteúdos específicos para idosos.

UNIDADE 9

B. GRAMÁTICA e VOCABULÁRIO

1.1. (PÁGINA 168)

1. fazer-se luz – tornar claro, compreensível 2. fazer de conta – fingir, simular 3. fazer o diabo a quatro/fazer trinta por uma linha – fazer uma série de disparates 4. fazer vista grossa – fingir que não vê alguém ou alguma coisa 5. fazer figura de – causar determinada impressão 6. fazer-se ao piso – insinuar-se para obter alguma coisa; cortejar 7. fazer uma cena – manifestar-se publicamente e de maneira agressiva ou desagradável 8. fazer sombra a – ofuscar o mérito ou valor de alguém 9. de fazer parar o trânsito – ser muito atraente 10. fazer gala de – vangloriar-se 11. fazer-se ao largo/fazer-se ao mar – numa embarcação, abandonar o porto, dirigindo-se a mar alto 12. fazer menção de – mostrar a intenção de fazer alguma coisa 13. fazer *mea culpa* – reconhecer um erro, exprimir o seu arrependimento 14. fazer-se da melhor tinta – tornar-se muito educado e adulto 15. fazer arranjo – ser útil ou proveitoso 16. fazer diferença a alguém – ser inconveniente ou inoportuno para alguém 17. fazer-se desentendido/fazer-se de parvo – fingir que não tem nada a ver com o assunto; fingir que não entende 18. fazer horas – ocupar o tempo enquanto se espera 19. de fazer chorar as pedras da calçada – ser muito triste, muito comovente 20. fazer a(s) vez(es) de – substituir temporariamente

2. (PÁGINA 169)

1. até 2. depois da/após 3. desde; em 4. Durante 5. antes de; após/depois dos 6. a 7. até 8. Em/Antes de; durante 9. Após 10. de; a 11. De; em 12. Entre 13. por 14. para 15. Antes de 16. entre 17. por; até 18. até; para

3. (PÁGINA 170)

Para que; para; a fim de que; para; para que; Apesar d(as); Mesmo que

4. (PÁGINA 170)

1. Muitos estudantes procuram cursos de línguas para fins específicos, porque os conhecimentos jurídicos ou científicos numa língua estrangeira podem fazer a diferença na procura de emprego.
2. Embora não soubesse se teria muitas inscrições, o CL/FLU organizou uma formação de alemão para engenheiros.
3. O programa Erasmus deve o seu nome ao filósofo holandês Erasmo de Roterdão, uma vez que este percorreu a Europa no século XV.
4. Erasmo de Roterdão viveu e trabalhou em vários locais da Europa, a fim de expandir e ganhar novos conhecimentos.
5. São vários os estudantes que desejam um trabalho a tempo inteiro, se bem que a maior parte deles só consegue um *part-time*.
6. O número de estudantes Erasmus aumenta todos os anos, visto que esta experiência reforça a cidadania e oferece experiências culturais e linguísticas enriquecedoras.
7. Hoje em dia, a presença da mulher nas universidades é maior do que a masculina, apesar de o desemprego afetar mais o universo feminino que o masculino.
8. Existem cerca de 6700 línguas faladas atualmente em todo o mundo, embora cerca de 80 por cento sejam faladas apenas nos seus países de origem.
9. É importante fazer dicionários, gramáticas e escrever as lendas de cada língua para que se crie assim a sua memória.
10. Ainda que o mandarim seja o idioma mais falado do mundo, é usado em poucos países.
11. O linguista David Crystal defende o ativismo linguístico, porque acha indispensável proteger os idiomas ameaçados.
12. A 21 de fevereiro comemora-se o dia internacional da Língua Materna para que se proteja e salvaguarde as línguas faladas no planeta.
13. Existem línguas, como a basca, que são únicas, uma vez que não procedem de nenhuma família linguística conhecida.

5. (PÁGINA 172)

NOMES	
habilidade	continuação
ternura	viagem
beleza	aspiração
brancura	lavagem
crueldade	marcação
certeza	grelha

ADJETIVOS	
esperançoso	destacável
alentejano	elegível
duvidoso	lavável
rítmico	desejável
italiano	bebível
alcoólico	substituível

VERBOS	
socializar	dosear
limpar	moralizar
intensificar	tonificar
suavizar	alimentar
humidificar	liquidificar
homologar	limitar

C. ORTOGRAFIA e PRONÚNCIA

1. (PÁGINA 173)

música
curtir
requerer
controverso
discussão
esquina
raquitismo
película
físico
pancada

quintal
recomendar
queimadura
recurso
paquete
cuco
saco
química
raquete
tanque

pequenez
orquestra
robótica
isqueiro
requeijão
equivalente
calçada
buraco
truque
conquistador

curva
requinte
tentáculo
tosquiar
consecutivo
relíquia
significativo
caracol
sequestrar
cauteloso

UNIDADE 10

B. GRAMÁTICA e VOCABULÁRIO

1.1. (PÁGINA 186)

1. Enviando o teu currículo por via eletrónica, será mais rápido. **2.** Tendo terminado o relatório, o diretor deixou-o sair um pouco mais cedo. **3.** Tendo chegado tão cedo, tivemos de esperar por elas 45 minutos. **4.** Tendo recebido o meu primeiro salário, convidei-o para jantar. **5.** Não falando inglês, vai ser difícil ela arranjar trabalho na área do turismo. **6.** Tendo-me apercebido que não tinha dinheiro, tive de voltar a casa. **7.** Nunca tendo concorrido, como podes dizer que não consegues esse lugar?

2. (PÁGINA 187)

1. puderes; tivesse podido; poderes **2.** ter visto; tivesse visto; Tendo visto **3.** Venham, vierem; venha; vinha **4.** ter feito; fazerem; fazermos **5.** tenham; tivesse tido; tiveram

3. (PÁGINA 187)

consomem; corram; chegasse; valia; se habituaram; se prolongue; dure; tem; serem; se sintam; crie; optando

4. (PÁGINA 188)

1. *meeting* – reunião **2.** *match* – desafio **3.** *revanche* – desforra; vingança **4.** *gaffe* – deslize **5.** *crachat* – insígnia **6.** *scanning* – digitalização **7.** *background* – formação **8.** *casting* – audição **9.** *croquis* – esboço **10.** *gentleman* – cavalheiro **11.** *e-mail* – correio eletrónico **12.** *souvenir* – lembrança

5. (PÁGINA 189)

vale; criou; falta; parte; em; são; de; ou; mal; muitos; por; às; aqueles; excesso; vêm; por

6. (PÁGINA 189)

1. marcar uma reunião **2.** candidatar-se a um emprego **3.** estar de baixa **4.** meter férias **5.** trabalhar por conta própria **6.** ser promovido **7.** mudar de emprego **8.** chegar a horas **9.** enviar o currículo **10.** trabalhar por turnos

C. ORTOGRAFIA e PRONÚNCIA

1. (PÁGINA 190)

queixo
encaixar
rouxinol
xaile

chaminé
chuto
xarope
repuxo

engraxar
ameixa
bruxa
chumbo

flecha
enxame
puxador
xadrez

lixo
fechadura
chávena
mochila

2. (PÁGINA 190)

X			
mexer	fixar	executar	próximo
excerto eixo enxugar sexto extremo	sexo léxico fixo	exequível exaustivo exímio exibição	máximo aproximar auxiliar

Lista de Faixas Áudio (49 minutos)

Faixa	Página	Título
1		Avançar em Português Lidel – Edições Técnicas
2	10	Vamos Conhecer-nos? - 1
3	13	A Língua Portuguesa no Mundo - 4
4	15	Ser Português - 4
5	21	Ortografia e Pronúncia - 1
6	21	Ortografia e Pronúncia - 2
7	33	Férias - 2
8	40	Ortografia e Pronúncia - 1
9	40	Ortografia e Pronúncia - 2
10	50	A Importância de ser Otimista - 9
11	55	Ortografia e Pronúncia - 1
12	55	Ortografia e Pronúncia - 2
13	63	Planeta em Perigo – 3.2
14	75	Ortografia e Pronúncia - 1
15	87	O Direito de Reclamar - 4
16	93	Ortografia e Pronúncia - 1
17	93	Ortografia e Pronúncia – 2
18	102	Realidades - 6
19	111	Ortografia e Pronúncia - 1
20	121	Informar, Comunicar... - 2.2
21	133	Ortografia e Pronúncia - 1
22	148	"Seniornautas" - 3
23	153	Ortografia e Pronúncia - 1
24	161	Estudar, conhecer... - 4
25	173	Ortografia e Pronúncia - 1
26	185	Oferece-se Emprego - 3
27	190	Ortografia e Pronúncia - 1
28	190	Ortografia e Pronúncia – 2